U0746821

皖江历史与文献丛稿

张宪华◎著

安徽师范大学学术著作出版基金资助项目

安徽师范大学出版社

责任编辑：孙新文
装帧设计：丁奕奕

图书在版编目（CIP）数据

皖江历史与文献丛稿/张宪华著．—芜湖：安徽师范大学出版社，2012.8
ISBN 978 - 7 - 81141 - 946 - 7

Ⅰ．①皖… Ⅱ．①张… Ⅲ．①地方文献—汇编—安徽省 Ⅳ．①K295.4

中国版本图书馆 CIP 数据核字（2012）第 185553 号

皖江历史与文献丛稿

张宪华 著

出版发行	安徽师范大学出版社	
	芜湖市九华南路 189 号安徽师范大学花津校区 邮政编码：241002	
网　址	http://www.ahnupress.com/	
发 行 部	0553 – 3883578 5910327 5910310（传真）E – mail：asdcbsfxb@126.com	
经　销	全国新华书店	
印　刷	安徽芜湖新华印务有限责任公司	
版　次	2013 年 4 月第 1 版	
印　次	2013 年 4 月第 1 次印刷	
规　格	889×1194　1/32	
印　张	7.25	
字　数	183 千	
书　号	ISBN 978 – 7 – 81141 – 946 – 7	
定　价	15.00 元	

序 一

序（通叙）与跋常合称，为十三种古文文体之一（见清姚鼐《古文辞类纂》）。序细分则有评及作品的书序，有贺人序齿的寿序，有送别赠言的赠序，有记叙他人生平简历的序赞。书序有自作，也有他作，内容无外乎介绍写作缘起、经过、评论作品、简介作者等，鲁迅先生为左联青年作家所作的书序就是典范，当然也有据作品引出他义的。20世纪20年代，军事学家蒋百里从欧洲考察归来，写了一本《欧洲文艺复兴时代史》，征序于梁启超，梁氏以为"吾觉泛泛为一序，无以益其善美，计不如取吾史中类似之时代相印证焉，庶可以校彼我之短长而淬厉也"。于是以欧洲文艺复兴时代相对应的中国清代乾嘉时期为内容，滔滔不绝地写下了55000多字的长序，几与原著篇幅相埒，这就是他的名著《清代学术概论》之由来，脱稿后单独印行（后来又扩充为《中国近三百年学术史》），百余年来重印不知凡几，至今仍不失为探索清代学术的门径之作。序脱离原著而单行，恐怕这是一个特例。

为人作序，向来是尊者、长者所为，或导师，或长辈，或友朋中交谊笃厚且极为敬重之人，如此说来，我是不够格的。当宪华同志第一次来信征序时，我以身体欠佳推辞了，结果他再次来信请求，并介绍了他的经历，引起我的感动，便同意写序了。

宪华同志是芜湖一中1972届毕业生，我是1957届毕业生，他的父亲刘乔（本姓张，参加革命后改姓刘）正是我上高中时的芜湖一中校长，刘校长于我有恩德。那是一九五四年长江大水，芜湖及四乡汪洋泽国，灾情严重，我这个寡母孤儿的家庭，虽然考取芜湖一中高中，但拿不出开学费用，9 月初报到，我直到 9 月底的国庆前夕，才在亲友们帮助下凑足学费（其时不过十余元），学校教导处因逾期不收，我无奈之极，在同学和班主任老师启示下，辗转找到刘校长家。试想一个未入学的中学生直接去找校长，其为难和恐惧可想而知，但是强烈的求知欲，终于让我鼓起勇气。见了面，申述家庭情况，刘校长十分和蔼地签下"同意入学"，并让我申请助学金。由此，我成了芜湖一中的高中生，由此，我由芜湖一中考进北京大学。

宪华同志 1977 年考入安徽师范大学历史系，后又考入兰州大学历史文献专业攻读硕士学位，毕业后，先后在安徽师范大学高教研究室和校图书馆古籍部工作，我在 1978 至 1987 年供职安徽师范大学图书馆，1987 年冬调至天津图书馆，在几次回芜返乡中不时见面，相谈古籍文献甚洽，他还来信讨论版本目录，我亦尽本人所知，给予答复。如此说来，我与他不仅是双重校友，而且是"同一战壕里"的战友，他在高校馆，我在公共馆，类型有别，职掌相同，均有共同的专业追求和爱好，因此为他作序，既是盛情难却，又是我感恩报德的机会，我只能应承下来。

皖江一词，是清初桐城派文人朱书提出来的，指代安庆。清康熙间安徽独立为省，以西周时皖伯国（在今潜山）简称为皖。解放初一度以长江为界，分皖北行署和皖南行署，旋即合并恢复安徽省，因此皖北、皖南以及以六安地区为中心的皖西等词常用，而皖江一词不太用于行政区划。皖江是改革开放深化时，安徽为拉动全省经济发展重新提出的，其皖江的外延，指八百里安徽长江流域，包括安徽沿江城市安庆、池州、铜陵、芜湖、马鞍山及其周边地区，统称为皖江地区。中央政府将皖江城市带纳入中部地区崛起战略重点发展区域。开发皖江地区，不仅是安徽省新的经济增长点，也是拉动长江中下游经济发展的杠杆，这是具有战略意义的。

众所周知，人类社会发展史表明：先民们的聚落起源，通常多在临近河海湖泊地带，这里不仅有赖以生存的充沛水资源，更有谋求发展的鱼盐之利、舟楫之便。皖江地区在安徽发展史上有重重一笔，安庆一度是全省政治中心，他如铜陵有色金属、芜湖的商业、马鞍山的钢铁，都是名播遐迩的。这里的人文如李白游踪、张孝祥居芜、桐城派、东至周家等也常为人乐道。宪华同志以《皖江历史与文献丛稿》为题，既紧跟形势与时俱进，又以史实为鉴，为皖江乃至安徽经济、文化发展给力。

《皖江历史与文献丛稿》内容包括皖江地区的世家大族、皖江古代经济研究、皖江文献研究、芜湖文献研究及附录五个部分，展现出东晋、隋唐、宋元、明清以来1500多年的皖江地区经济和人文的重要侧面，虽则窥豹一斑，尝鼎一脔，由此也可察其其余。东晋、晚唐、北宋末年三时期，中原战乱迭起，迫使那里的人民纷纷南渡，避居沿江及江南地区，他们带来了丰富的劳动力资源和先进的生产技术和文化积累，有力地推动沿江和江南地区经济文化的发展，先后产生以朱熹为代表的徽学（理学）以及享誉全国的徽商经济，相应的刻书藏书风气形成，人才辈出，学派林立，并由此给安徽各项事业之发展起了催化和酵母作用。我们研究历史文献要"古为今用"，要从昔日的成功经验和失败教训中找出借鉴的地方，这大概就是本书出版的意义所在吧！

《皖江历史与文献丛稿》所汇集的文章，大都曾刊于各类学报和专业杂志，这是宪华在工余之暇历尽艰辛，从汗牛充栋的文献资料中拣金披沙爬梳出来的，言之有物，立论有据，算是他阶段性的总结。我和宪华都是图书馆的从业人员，即现代书僮之谓也。

我曾说过：图书馆人要出成果没有自讨苦吃的精神，没有超出常人十倍、百倍的毅力，那几乎是不可能的。同时也说过：图书馆人一是守着书，二是每天接触那么多读者，包括各门类专家学者，那是我们的老师。有书，有老师，又何愁做不成学问呢？而这两点，又是其他行业无法企及的。因此，扬长避短，出神入化，全在于运用之妙，而关键在于是否有心。宪华同志是有心人，工作之余孜孜以求，探究幽隐，乐此不疲，才能有如下的专题论述，道出常人不知或罕知的一些事物原委，其难可知，这一点我是深有同感的。

去年10月，我突发"脑梗塞"，虽经住院治疗，康复得还不错，毕竟每日还在服药中，年衰多病，老眼昏花，故写出以上的话以塞责，未知作者、读者可意否？

刘尚恒

2012 年 3 月

于天津二余斋，时年七十有五矣

序　二

接到宪华的书稿，甚是欣喜。

我与宪华的交往，说来已有三十年。

记得一九八二年九月，宪华从安徽到兰州，与我及王冀青三人，同学于齐陈骏先生门下。我们的导师齐陈骏先生，是20世纪50年代从上海复旦大学毕业后主动去兰州大学任教的高才生，那时已是治隋唐史特别是敦煌学的名家，现在教育部兰州大学人文社会科学敦煌学重点研究基地，即是由先生亲手奠基。记得刚刚入学，齐先生让我们抓紧时间打牢专业基础，指示我们认真阅读《资治通鉴》一书。宪华兴致很高，和我同时购买了中华书局标点本《资治通鉴》20册。从此便手不释卷，孜孜苦读。边读还边做笔记，在《资治通鉴》书上也写满了眉批。他的硕士毕业论文《试论唐朝科举制度的演变及其特点》，洋洋洒洒，广征博引，充分利用了各类史料，包括大量《资治通鉴》的材料，获得专家好评并顺利通过兰州大学硕士研究生学位答辩。我们作为国内首批毕业的历史文献学（敦煌学）硕士生，宪华也受到敦煌吐鲁番文书研究的严格训练并有很好的基础，但以后没有朝此方向发展，这是颇使人遗憾的。

一九八五年下半年毕业后，我们都奔向东南，我在南京师范大学历史系执教，宪华在芜湖的安徽师范大学工作，时相往来，切磋交流。他结合自己的工作和地域特点，发表了"唐代安徽进

士考"，"北魏官学初探"等学术文章，20 世纪 90 年代初又写有
"东晋南朝时期庐江何氏研究"一文，此文所言西晋时期的庐江
郡，辖今东起安徽芜湖，北至寿县，南至江西九江的广大地区，
郡治舒县（今安徽舒城县）。大都属于现在的皖江范围。据我所
知，这是国内较早探讨侨姓士族之一庐江何氏的专题论文。发表
后曾为学人多次引用与评介。

进入新世纪后，宪华厚积薄发，又发表了两篇具有较高学术
价值的文章，一篇是"东晋南朝皖南的社会经济"，该文瞄准了学
界不甚注意的南朝皖南区域，是一篇填补空白之作。被中国人民
大学复印报刊资料《魏晋南北朝隋唐史》全文转载。第二篇是
"唐末五代徽州的北方移民与经济开发"，此文首次考证出这一时
期徽州的移民数字，对于复旦大学吴松弟教授关于唐末徽州移民
的研究成果，是一个重要的补充。此文亦被中国人民大学复印报
刊资料《经济史》全文转载。我认为这两篇学术文章，从产生想
法，到收集资料，再形成思路，深入考辨、精心构思，最后形成
文章，后又反复修改锤炼，无疑是宪华的苦心孤诣之代表作，绝
非一年半载之功可以轻就。

2007 年以后，宪华参加了芜湖市地方文史的编著活动，在编
著《芜湖通史》一书时，分工宋元明清（鸦片战争前）部分撰写，
他克服史籍方志记载之不足的困难，不辞辛劳，从家谱、碑刻、
考古材料到民间传说等，苦苦寻觅材料，还多次下乡进行田野调
查。前后历时三载，方成功地完成任务。此书第四篇"芜湖文献
研究"，即是此项活动的精品选录。

对于皖江文化的研究，近年来有较快的发展。尽管对于皖江
文化的内涵，学术界的看法不完全一致。但在我看来，理应包含
对皖江地区一切历史的、现实的广义的文化现象的研究，包括生
产力、生产关系、生活形态、物质成果、精神成果、科学发明等

各方面全方位的研究。其中关于民族、世族、宗族、家族、移民等历史文化及相关历史文献的研究，无疑是不可缺少的重要方面。宪华此书是这方面一个很好的探索。

对于皖江文化，我了解并不很多，但因为我在南京工作近三十年，也曾多次去过安徽各地并阅读、整理过一些安徽文献。如我正在主持整理的清人《江南通志》一书，就包括了安徽地区的内容。窃以为南京以上，安庆至芜湖一带亦是历史文化底蕴深厚的地区。比如桐城方氏，被梁实秋、钱理群誉为"中国第二大文化名门"，仅次于曲阜孔氏。又如建德周氏（即东至周家），周家五代名人辈出，覆盖官、商、学诸领域，是一个在中国近现代历史上留下深深印记的家族。还有安徽太湖赵朴初家族等。除了桐城方氏，宪华在这本书里对太湖赵家、建德周家都做了探讨，我认为是很有意义和价值的。这本书中还有一些年谱、家谱的研究，也是对皖江文化资源的整理、探究工作，或者说是拾遗补缺的工作。

《皖江历史与文献丛稿》一书，内容包括皖江地区的世家大族、皖江古代经济，皖江文献、芜湖文献诸多方面。通读全书，我以为宪华以严谨的科学态度与正确的理论、方法，对皖江历史上一些世族人文现象、社会经济、移民问题、相关历史文献等，做出了深入的、细致的、许多甚至是带有本质性的认识，取得了令人欣喜的成果，其中有些内容足可以为现代文化建设及相关政策的制订，提供很好的借鉴。

相信此书的出版，会进一步扩大皖江历史文化研究的影响，推动皖江城市带经济及区域文化建设的发展与社会进步。也希望宪华兄能有更多的优秀成果问世。运笔至此，我不由想起宋人王安石《桂枝香》的词句："千里澄江似练，翠峰如簇"，"彩舟云淡，星河鹭起，画图难足"，"千古凭高对此，漫嗟荣辱。"此语虽是咏金陵的，但千里长江一线穿，无论是长江上游、皖江中游还是宁、沪下游，在新的时代与新的历史条件下，各地区的社会经济、社会管理、思想文化及优秀的历史文化遗产的总结与继承等，必将会展现出更加美好的画卷。是为序。

李天石

2012 年 4 月 22 日

于古金陵之南京

目　录

第一篇　皖江地区的世家大族

东晋南朝时期庐江何氏研究

庐江何氏兴起于魏晋之际，鼎盛于东晋南朝，衰落于侯景之乱，是东晋南朝时期著名的侨姓高门之一，也是士族社会中一个不应漠视的重要家族。考察这一家族主要成员的生平行状、婚姻仕宦以及文化特征，有助于我们认识士族门阀问题。

一

《晋书·何充传》："何充字次道，庐江灊人，魏光禄大夫祯之曾孙也。"按魏晋时期庐江郡灊县，地当今安徽霍山县。"魏光禄大夫祯……"句有两点应校正：其一，"祯"与"桢"形近致伪，当作"桢"。① 其二，何桢入晋方为光禄大夫，"魏"字误也。② 关于何桢，史书无传，其事迹散见于《三国志》、《晋书》等。综合各史所记，大致是：何桢，字元干，庐江郡灊县人。早年好学，有文章才干。曹魏太和年间入仕，历任扬州别驾、秘书左丞、弘

---

① 《晋书》卷七七，校记第2条。
② 《三国志·管宁传》注引《文士传》。

农太守。嘉平六年（254年），司马师废齐王芳，何桢时任永宁卫尉，署名赞同。甘露二年（257年），司马昭征讨诸葛诞，何桢以廷尉身份假节，① 宣抚淮南。在魏晋政权更迭之际，何桢相机应变，投靠了司马氏集团，所以官爵屡加。入晋后又为尚书、光禄大夫，封爵雩娄侯。② 考晋尚书、光禄大夫，都是三品高官，可以荫及子孙。当时是门阀士族阶层形成时期，许多家族都是因为有位居高官者而成为士族。何氏也由何桢的显宦跻身士族阶层。

何桢三子：何龛，武帝太康六年（285年）为东夷校尉，次年遣兵败鲜卑慕容庞，复扶余国。累官后将军。何勖，参加了八王之乱，惠帝复位，齐王囧辅政，命以车骑将军领中领军。何恽，太康元年（280年）任扬州别驾，跟随王浑、周浚的军队伐吴。当时"王濬楼船下益州"，王浑部却驻扎江北，"案甲不进。"③ 何恽献策，主张立刻渡江，直捣建业，不可坐失良机！后来形势的发展证实了他的预见。何恽仕至豫州刺史，封关中侯。

何氏三世约生活在西晋灭亡、东晋建国初期，可考者三人：何阜，淮南内史；何邃，仕宦不详，据有关史料，何邃可能南渡过江；④ 何睿，安丰太守。何睿即何充之父，《晋书》仅记其官守而已。考《晋书·孙惠传》，孙惠时为安丰太守，"元帝遣甘卓讨周馥于寿阳，惠乃率众应卓，馥败走。庐江何锐为安丰太守，惠权留郡境。锐以他事收惠下人推之，惠既非南朝所授，常虑谗间，因此大惧，遂攻杀锐，奔入蛮中。"元帝攻灭周馥势力在永嘉五年（311年）正月，随后派出亲信，接收地盘。从"（孙）惠既非南

---

① 魏制：太后三卿在九卿之下。永宁是魏郭太后宫号，何桢从永宁卫尉升迁廷尉，不过三年时间。

② 秦锡田：《补晋异姓封爵表》，二十五史补编本。

③ 《晋书》卷四二《王浑传》。

④ 《太平御览》卷四四三引《晋中兴书》；据《世说新语·假谲》注引《温氏谱》"温峤后取何邃女。"

朝所授，常虑谗间"一语推敲，可证何锐是元帝系统的安丰太守。我怀疑庐江何锐即何充之父何睿，因为从时间、官守的角度考虑，两人的情况十分吻合。只是《孙惠传》为什么说"何锐"，当是避晋元帝讳所改。根据史籍，晋人避讳有采用同音字的惯例。比如西晋人任睿，《华阳国志》用本名，《晋书·罗尚传》改作"任锐"，锐、睿同音。又，《晋书·邓嶽传》："本名岳，以犯康帝讳，改为嶽。"岳、嶽也是中古同音字。①

《世说人名谱》将何睿列为庐江何氏第一代，② 当依据何睿南渡较早，于江左政权有开辟之劳，而且显贵于东晋南朝的何充、何尚之、何敬容均是何睿的嫡嗣。

何氏四至六世主要活动于东晋时期。何氏四世，文献记载有三人：何充、何准、何琦。何充（292—346），字次道，少有名望。初辟大将军王敦掾，历任中书侍郎、散骑常侍、会稽内史、丹阳尹。"充即王导妻之姐子，充妻，明穆皇后之妹也，故少与导善，早历显官。"王导卒后（239 年），充迁护军将军、录尚书事，不久进位骠骑将军，居权力中枢六年左右，中间有一年余出镇京口。史言何充强力有器局，临朝正色，以社稷为己任。所选用皆以功效，不私亲旧。"频参大议，屡画嘉谋。"③ 拥立穆帝，推荐桓温为荆州刺史，都是出于何充的主张，这些措施于时局影响重大。充弟准，字幼道，高尚不仕，"唯诵佛经，修营塔庙。"④ 何准的女儿何法倪"以名家膺选，"⑤ 升平元年（357 年）成为晋穆帝皇后，在位凡四十八年。自此，庐江何氏上升为第一流门阀。充从兄琦，

① 郭锡良：《汉字古音手册》，北京大学出版社 1986 年版，第 146、44 页。
② 刘义庆：《世说新语》，上海古籍出版社 1982 年版，第 855 页。
③ 《晋书》卷七七《何充传》。
④ 《晋书》卷九三《外戚传》。
⑤ 《晋书》卷三二《何后传》。

字万伦，以孝行名扬当世。"事母孜孜，朝夕色养，常患甘鲜不赡。"① 母亡后居宣城阳谷县（今安徽南陵县），研习典籍，从事著述。朝廷征拜为散骑常侍，世称何常侍。

何氏五至六世皆何准子孙。准三子：放，继嗣充；恢，② 南康太守；澄，字季玄，起家秘书郎，安帝时迁尚书左仆射，典选，又领扬州大中正，及桓玄执政，免官。《世说新语·忿狷》注引《中兴书》曰："何澄，清正有器望"。恢子元度，西阳太守；次子叔度，太常、尚书，入宋为金紫光禄大夫、吴郡太守。澄次子融，晋元熙中大司农。

何氏七世至九世生活于南朝时期，七世可考者七人，以何尚之最知名。尚之（382—462），③ 字彦德，叔度子，初为庐陵王义真车骑谘议参军，元嘉时历吏部郎、郎中、丹阳尹、礼部尚书等要职；元嘉二十二年（455年）迁尚书右仆射，自该年至二十七年，尚之位居端揆，参与议政和决策，对于元嘉治世的继续发展颇有功劳。当时宋文帝兴造玄武湖，盛夏役使人工，尚之以为应当休息民力，"固谏而止"。元嘉二十四年，文帝采纳江夏王义恭的意见，"以一大钱当两，以防剪凿"。尚之说，此制若行，其弊至少有二：一则"富人资贷自倍，贫者弥增其困"；二则"钱之形式、大小多品，直云大钱，则未知其格。……既非下走所识，加或漫灭，尤难分明。"后来的情况证明尚之的看法是符合实际的。尚之浮沉宦海四十余年，时人评价他"清忠贞固，历事唯允。"④

何氏八世见于文献记载的八人，三人史书有传。何偃（413—

---

① 《晋书》卷八八《何琦传》。
② 《庐江何氏谱》作"恢"。
③ 《宋书·何尚之传》云年七十九，《梁书·何胤传》云"祖尚之至七十二"。此从《宋书》。
④ 《宋书》卷六六《何尚之传》。

458)，字仲弘，尚之子。元嘉年间举秀才，宋孝武帝时官至吏部
尚书。偃"少陶玄风，淹雅修畅，"① 被誉为"正始名士"。何昌
寓（447—497），字俨望，尚之弟攸之子，"以风素见重，"② 仕宋、
齐两朝。南齐建武元年（494 年），昌寓时任西中郎长史、行荆州
事，顶住了权臣萧鸾谋害宗王的意图。宋元之际史家胡三省赞扬
地说："何昌寓于此有周昌之节矣。"③ 后入京，历官吏部尚书、侍
中。何佟之（449—503），字士威，晋豫州刺史恽六世孙。佟之非
尚之一系，故父祖官卑，但他精通"三礼"，为当时"京邑硕儒"、
礼学名家。《南齐书·礼志》记载佟之议礼十余处。梁武帝即位，
以佟之为尚书左丞，"是时百度草创，佟之依礼定议，多所神益。"④

何氏九世可考者七人。何戢（447—482），字慧景，偃子。宋
世尚山阴公主，解褐秘书郎，宋末为萧道成相国左长史，累官齐
吏部尚书、吴兴太守。戢"家业富盛，性又华侈，"⑤ 女为郁林王
皇后。何求（434—489），字子有，"清退无嗜欲，"⑥ 宋世除永嘉
太守，后归逃吴郡，隐居虎丘山。求弟点（437—504），字子晳，
博通群书，善谈论；不应征辟，纵心尘外，"时人称重其通，号曰
游侠处士。"⑦ 何点一生，不涉仕途，但在社会上却有很高的声望。
点弟胤（446—531），字子季，起家齐秘书郎，仕至中书令、国子
祭酒。郁林王在位，欲与胤谋诛萧鸾，犹豫不敢从。建武四年
（497 年），何胤弃官东归，隐居会稽，后移居吴郡祖墓。胤少从沛
国刘瓛学经，受易及礼记、毛诗，又精研佛学内典，隐退后一面

① 《宋书》卷六二《王微传》。
② 《南史》卷三〇《何尚之传》。
③ 《资治通鉴》卷一三九，齐明帝建武元年九月条胡注。
④ 《梁书》卷四八《儒林传》。
⑤ 《南齐书》卷三二《何戢传》。
⑥ 《南史》卷三〇《何尚之传附何求传》。
⑦ 《南史》卷三〇《何尚之传附何点传》。

讲经论学，教授弟子，一面著书立说，是一位儒释兼通的大学者。梁武帝与何胤及其兄何点是旧交，曾派遣学徒六人到会稽就学。何胤晚年移居吴郡虎丘山"讲经论，学徒复随之"。"经论"通常指佛典，但从"学徒复随之"一语看来，想必也讲儒经。[①] 何敬容（？—549），字国礼，昌寓子，弱冠尚齐武帝女长城公主，梁初起家秘书郎，普通四年（523年），出任吴郡太守，"为政勤恤民隐，辩讼如神，视事四年，治为天下第一"；中大通三年（531年），因徐勉的推荐，入居相位。"敬容久处台阁，详悉旧事，且聪明识治，勤于簿领，诘朝理事，日旰不休。"[②] 敬容重视治道，熟悉世务，明习吏事，政绩颇著，在当时世家大族标榜优闲、不亲时务的氛围里，敬容的表现，的确是凤毛麟角。太清二年（548年），侯景南下，围攻建康，三年正月，敬容卒于台城围内。在侯景的军锋扫荡下，侨姓士族"在都者覆灭略尽，"[③] 何氏家族也难逃此劫，从此一蹶不振，进入衰落期。

二

婚宦是士族门阀阶层的两大支柱，也是衡量门族高卑的尺度。下面分别考察。

在政治仕宦方面，何氏出现了何充、何尚之、何敬容一批政治家，他们秉衡当朝，参赞大政，论贡献自然比不上王导、谢安，但对于政局有着或多或少的影响。通过考察，我们发现何氏家族玄学色彩不浓，除了何偃一人喜爱谈玄外，大多数人崇尚事功，积极进取。这种务实的政治特征在侨姓士族内部，还是比较少见

① 唐长孺：《魏晋南北朝隋唐史三论》，武汉大学出版社1997年版，第224页。
② 《梁书》卷三七《何敬容传》。
③ 《北齐书》卷四五《颜子推传》，载《观我生赋》自注。

的。这或许是何氏家族的门风。此外，何氏与琅玡王氏关系密切，"两族情好相协，几为别族所无，"① 如何充受到王导的提携，即为明证。两晋南朝时期，何氏有官职可考者40人。这40人中，西晋4人，东晋12人，刘宋15人，齐梁8人，陈1人。官至二品者2人，三品者17人，四品者1人，五品13人，六品4人，七品3人。三品以上的有19人，占有官职总数的47%强。五品以上的33人，占82%。另外，何澄、何戢、何胤、何敬容均起家秘书郎，我们知道秘书郎官位清显，是一流高门士族入仕的跳板。"宋齐以来，为甲族起家之选。待次入补，其居职，例数十百日便迁任。"② 所以，就仕宦言之，何氏可谓显达隆盛。

在婚姻状况方面，据记载，与何氏通婚家族中，皇室8例，宗室1例，琅玡王氏6例，颍川庾氏1例，彭城曹氏1例，南阳刘氏1例，鲁国孔氏1例，郡望不明的3例。当时并非所有侨姓士族都能联姻帝室，如顺阳范氏"门胄虽华，而国家不与姻娶。"③ 琅玡颜氏、颍川钟氏，终东晋南朝，子女中没有尚主及为后妃者。由此而知，何氏的社会地位高于顺阳范氏之类的家族。上引琅玡王氏、颍川庾氏皆江左第一流盛门，何氏能与他们通婚，说明地位与之相近。鲁国孔氏、南阳刘氏都是魏晋以来的旧门，彭城曹氏得东晋王导的姻援，族望不低。又据日本学者中村圭尔考证：庐江何氏和琅玡王氏、陈郡谢氏等第一流家族属于相互通婚的集团。④ 有学者指出，庐江何氏门第之取得及其长期保持繁盛之状态，颇得益于与琅玡王氏之联姻。⑤ 所以就婚言之，何氏可谓"家

---

① 苏绍兴：《两晋南朝的士族》，台湾联经出版事业公司1985年版，第150页。
② 《梁书》卷三四《张缵传》。
③ 《宋书》卷六九《范晔传》。
④ 转引自周一良：《魏晋南北朝史论集》，北京大学出版社1997年版，第348页。
⑤ 王永平：《东晋南朝时期庐江何氏与琅玡王氏婚媾交游考》，《许昌学院学报》2008年第4期。

本甲族，亲姻多贵仕。"①

　　凭借学术传家，占有文化优势，这是当时世家大族的特点。庐江何氏也是如此。曹魏时何桢因作《许都赋》，受到魏明帝的赏识，遂被举为中央文史官。何充"思韵淹通，有文义才情。"② 何尚之"爱尚文义，老而不休。"③ 南齐又有庐江何宪，"博涉该通，群籍毕览。"④ 何佟之、何胤都是一代儒宗。上述情况说明，在士族统治阶层内部，还是要讲究才学的。而且文化修养的高低是士族子弟升迁的重要条件，不由得他们不重视。今据《隋书·经籍志》的统计，何氏家族中有著述者 9 人，著录书 20 种，其中经部 10 种，史书 4 种，子部 1 种，集部 5 种。经部著书者中，何胤所撰 5 种，何佟之所撰 4 种。史部中值得一提的是何琦的《论三国志》九卷，⑤ 何之元的《梁典》三十卷。子部 1 种是东晋何楷著的《何子》五卷。⑥

　　何氏的著述大多早已散佚。今天能见到的何胤《毛诗隐义》一卷、《礼记隐义》一卷，是清人马国翰从古籍里辑存的。《弘明集》中保存着何尚之《赞扬佛教事》一文。何之元的《梁典》，叙事详明，条理清晰，记述了有梁一代历史；亦为姚察、姚思廉父子撰写《梁书》、《陈书》所取资。

　　世代信佛是庐江何氏又一文化特点。我们知道，东晋是佛教初盛时代，何充、何准并预侫佛潮流。何充"性好释典，崇

----

① 《梁书》卷五一《何点传》。
② 《世说新语·政事》注引《晋阳秋》。
③ 《宋书》卷六六《何尚之传》。
④ 《南史》卷四九《王谌传附何宪传》。
⑤ 《隋志》："论三国志九卷，何常侍撰。"清人章宗源考证何常侍即何琦。见章氏《隋书经籍志考证》卷一。
⑥ 《隋志》："何子五卷"。不著撰人名氏。清人姚振宗考证作者是东晋何楷。见姚氏《隋书经籍志考证》卷三〇。

修佛寺。"① 相传建康第一个尼寺——建福寺，即何充营造。何尚之居家但读佛经，"奉法素谨，"② 是一位虔诚的佛教徒。据梁释慧皎撰《高僧传》卷七《慧严传》，尚之说："释氏之化，无所不可，适道固自教源，济俗亦为要务。"宋文帝很欣赏这番议论，对他说："释门有卿，亦犹孔氏之有季路。"何敬容、何求、何胤均笃信佛教。敬容曾舍宅为寺。何点谈论佛义，名动当时。何胤邃于佛典，注《百法论》、《十二门论》各一卷，据此可窥何胤服膺般若三论之学。

庐江何氏是魏晋间新兴家族，在东晋南朝，显赫一时，号称"甲族"。社会地位崇高，属于王谢家族婚姻圈。政治上有所作为，文化上亦多成就。这就是我们考察庐江何氏所得出的结论。

附1 何氏官爵、婚姻表

姓 名	朝代	官爵	婚姻	材料出处
何 桢	西晋	尚书、光禄大夫（三品）		《三国志·管宁传》及注
何 龛	西晋	后将军（三品）		《三国志·管宁传》及注
何 勖	西晋	车骑将军（二品）		《三国志·管宁传》及注
何 恽	西晋	豫州刺史（五品）		《三国志·管宁传》及注
何 阜	东晋	淮南内史（五品）		《晋书·孝友传》
何 琦	东晋	散骑常侍（三品）		《晋书·孝友传》
何 邃	东晋		女嫁太原温氏	《世说新语·假谲》注引《温氏谱》
何 睿	东晋	安丰太守（五品）	妻彭城曹氏	《晋书·何充传》

---

① 《晋书》卷七七《何充传》。
② 《宋书》卷八九《袁粲传》。

续表

姓　名	朝代	官爵	婚姻	材料出处
何　充	东晋	骠骑将军（二品）	妻颍川庾氏①	
何　准	东晋	不仕	妻孔氏（准两女，一女国婚，一女适琅琊王随之）	《晋书·外戚传》
何　惔	东晋	南康太守（五品）		《晋书·外戚传》
何　澄	东晋	尚书左仆射（三品）		《晋书·外戚传》
何元度	东晋	西阳太守（五品）		《晋书·外戚传》
何叔度	东晋	太常（三品）		《晋书·外戚传》
何　融	东晋	大司农（三品）		《晋书·外戚传》
何尚之	宋	中书令（三品）	尚之两女，一适琅琊王景文，一适南阳刘湛子黯	《宋书·何尚之传》
何攸之	宋	太常（三品）		《宋书·何尚之传》
何愉之	宋	新安太守（五品）		《宋书·何尚之传》
何翌之	宋	都官尚书（三品）		《宋书·何尚之传》
何述之	宋		妻琅琊王敬弘女	《宋书·王敬弘传》
何　偃	宋	吏部尚书（三品）		《宋书·何偃传》
何　瑀	宋	卫将军（三品）	妻宋公主，女为前废帝皇后	《宋书·后妃传》
何　迈	宋	宁朔将军（四品）	妻宋公主	《宋书·后妃传》
何　亮	宋	新安内史（五品）		《宋书·后妃传》
何　恢	宋	广州刺史（五品）		《宋书·后妃传》
何　诞	宋	司徒右长史（六品）		《宋书·后妃传》

---

①　何充无子，一女何法登适琅琊王康之。见罗新等著《新出魏晋南北朝墓志疏证》一四《王康之妻何法登墓志》。

续表

姓　名	朝代	官爵	婚姻	材料出处
何　衍	宋	太子右率（即太子右卫率五品）		《宋书·后妃传》
何颙之	宋	通直常侍（三品）	妻宋公主	《宋书·何尚之传》
何昌寓	齐	侍中（三品）		《南齐书·何昌寓传》
何　戢	齐	吏部尚书（三品）	妻宋公主，女为齐郁林王皇后	《南齐书·何戢传》
何　铄	宋	宜都太守（五品）	妻王氏	《南齐书·高逸传》
何　求	宋	永嘉太守（五品）	妻刘宋宗室义融女	《古志石华》卷一《刘袭墓志》，载《三长物斋丛书》
何　提	齐	太中大夫（五品）		《梁书·孝行传》
何　炯	梁	治书侍御史（六品）		《梁书·孝行传》
何　点	梁	不仕	妻琅玡王氏，鲁国孔氏	《梁书·处士传》
何　胤	齐	国子祭酒（三品）	妻江氏	《梁书·处士传》
何佟之	梁	尚书左丞（六品）		《梁书·儒林传》
何敬容	梁	尚书令（三品）	妻齐公主	《梁书·何敬容传》
何　楷	东晋	侍中（三品）		《宋书·孝义传》
何　友	东晋	骠骑谘议参军（七品）		《宋书·孝义传》
何子先	东晋	建安太守（五品）		《宋书·孝义传》
何子平	宋	吴郡海虞令（七品）		《宋书·孝义传》

附2　何氏家族世系表

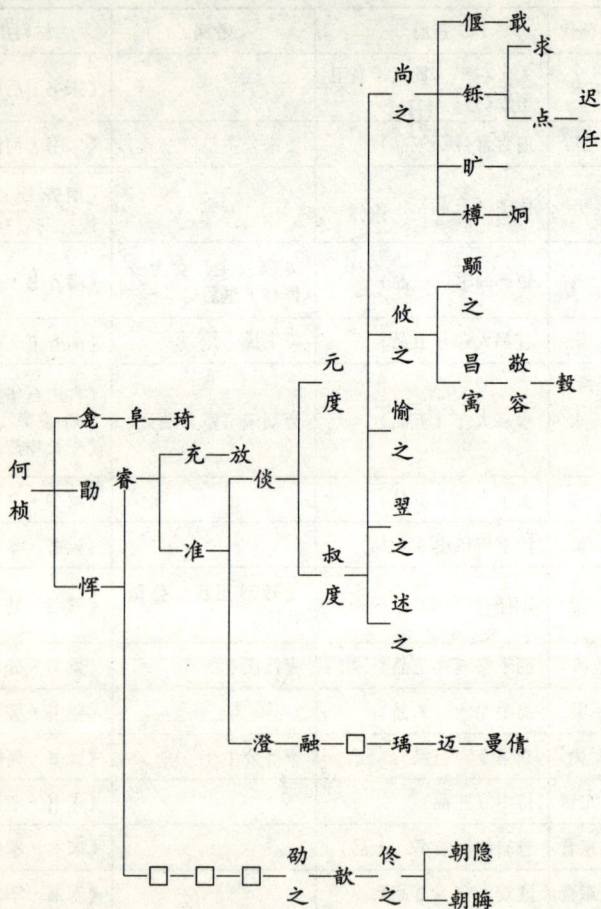

```
                                              ┌ 偃 ─ 戢
                                              │        ┌ 求
                                    ┌ 尚之 ──┤ 铄 ──┤
                                    │         │        └ 点 ─ 迟/任
                                    │         ├ 旷
                                    │         └ 樽 ─ 炯
                                    │
                                    │         ┌ 颙之
                                    │         │ 昌寓 ─ 敬容 ─ 毅
            ┌ 龛 ─ 阜 ─ 琦          │ 元度 ─┤
            │      ┌ 充 ─ 放         │ 俊   ─┤ 攸之
何桢 ─ 勖 ─ 睿 ─┤                  ├        │ 愉之
            │      └ 准              │       │ 翌之
            │         └ 俊 ──────────┤        │ 述之
            │              叔度       │
            │              元度       └
            │
            └ 恽
                └ 澄 ─ 融 ─ □ ─ 瑀 ─ 迈 ─ 曼倩
                      □ ─ □ ─ □ ─ 劢之 ─ 歆 ─ 佟之 ─┬ 朝隐
                                                      └ 朝晦
```

原载《安徽史学》1993 年第 4 期。

安徽太湖赵氏四世翰林述略

有清一代，到达科举阶梯的最高层、一门四世翰林的文化家族，海内不过数家，安徽皖江地区就占了两家，一是桐城张氏，一是太湖赵氏。"太湖之邑，郡属安庆。当东南孔道，民朴而士文，亦名区也。"① 乾隆以来，太湖赵氏家族，翰林、进士、举人联翩接踵，气运颇盛。数世之后，著名佛学家、社会活动家及书法家、爱国宗教领袖赵朴初先生（1907—2000）又饮誉海内外。但是，赵氏后人撰文语焉不详，② 学界对此也缺乏讨论。本文旨在考述赵氏家乘及其著述，做一点整理地方文献的工作。

一

赵文楷（1760—1808），字逸书，号介山，太湖县北乡望天山村人。文楷先世出自赵宋皇室后裔，元朝时迁居现在的安徽太湖县。七世祖赵彦逑，明嘉靖贡生，官顺德府经历。八世祖赵璧，明朝万历四十六年举人，官至福建建宁府同知。"嗣是衿贡相承，迄今十余世不绝"③ 保持着重读书、重修养的书香门风。祖父赵象

---

① 民国《太湖县志》卷三四《艺文志》。

② 赵荣琛：《先从我家四代翰林说起》，《传记文学》1996 年第 4 期。

③ 赵宝初：《太湖赵氏家集丛刻·遂翁自订年谱》，台湾文海出版社 1974 年版，第 1 页。

贤，以监生选任四川汉州吏目，这虽是一个从九品的小官，然而象贤居官有惠政，入当地志书。父亲赵学浩是岁贡生，精研易学，在家乡开馆授徒，著有《蜀游草》。文楷早慧，性好吟咏，六岁即能诗，十三岁成为秀才。十八岁居父丧，"薄田十余亩，馕粥常不给"。① 所作《采荠》诗云："清晨入中园，采我园中荠。叶萎根亦死，采之不盈斛。……纷吾守贫贱，对此欣果腹。磋哉良艰辛，何日沾微禄"。② 为了解决清贫的生活，只有寄希望于科考。我们知道，"学而优则仕"是古代社会的通例。科举制作为适应古代社会的一种官僚更新机制与公平选才方式，吸收了大批寒门才俊，促进了社会阶层的流动。从某种意义上说，科举是古代读书人献身社会的一条阳光大道。

乾隆五十三年（1788 年），文楷中江南乡试第二名。此后游幕四方，大概做的是"文案"幕友。同时四次赴京，参加礼部主持的会试，至嘉庆元年（1796 年），才大魁天下，成为状元。授翰林院修撰（从六品）。"除夕感怀以四十明朝过为韵得诗五首（时在东阿县）"，其三云："家贫乞微禄，四次来春明。镂翮岂无痛，揣摩恨未成。李蔡本下中，胡为冠群英？再拜赴闻喜，恩重身亦轻。"③ 可见，文楷在中央级会试上几经挫败，饱尝名落孙山的滋味。但他愈挫愈奋，终于以殿试第一人及第。诗中用了汉朝名将李广堂弟李蔡的典故，比喻自己文才不高，却荣登榜首，表示出他的谦逊情怀。不过，科举时代，元魁鼎甲极难获中，士人莫不以独占鳌头作为殊荣。在科举的角逐上，官僚缙绅子弟由于在经

---

① 赵宝初：《太湖赵氏家集丛刻·附录》，台湾文海出版社 1974 年版，第 77 页。
② 赵宝初：《太湖赵氏家集丛刻·石柏山房诗存》，台湾文海出版社 1974 年版，第 43—44 页。
③ 赵宝初：《太湖赵氏家集丛刻·石柏山房诗存》，台湾文海出版社 1974 年版，第 221—222 页。

济条件与文化背景方面拥有种种有利因素，无疑处于优势地位，文楷来自民间，"不是春官名偶掛，此身原只住田间。"① 若非才智卓绝和勤勉超人，岂能在济济多士中脱颖而出！

嘉庆四年（1799 年）八月，臣属清朝的东海琉球国（今日本国冲绳县）中山王崩，世孙尚温即位，请求清朝指派天使册封。嘉庆帝以翰林院修撰赵文楷为册封正使，编修李鼎元为副使。文楷率领的册封使团，于嘉庆五年（1800 年）五月初七从福州起航，一路上西南风顺，十二日午抵达琉球那霸港。六月初八，举行谕祭故王礼。七月二十五日，册封世孙为王。两大典礼完毕后即着手返航。十月十五日在那霸港登舟候风，十一月三日，平安抵达福州。在琉球期间，文楷严加约束随员，不得扰民，罢省了款待使团的答谢宴等旧例。"国王感激两位天使，诸物不受，故密遣小底辈问于内使，得知寿期。又密问家世，得其详"。② 于是，亲制两副寿序送给正、副使。中山王尚温的"赵母潘太夫人寿序"一文，收在《太湖县志》和《赵氏家集丛刊》中。

文楷回国后，丁母忧回籍守制。服满抵京，供职翰林院。嘉庆九年（1804 年），出任山西雁平道，为官四年，廉洁自持，两袖清风。病故于官署时，"至贫无以殓"。③

文楷著《石柏山房诗存》九卷。他的诗，走的是师法唐贤的路子。"浏漓浑脱，纯任自然，旷迈遒上，不落尘滓，往往有太白神致焉。"④ 某些佳什，有着唐人淋漓元气与强烈的感情。文楷的其他著述，大多散佚。只有杂剧剧本《菊花新梦》，为其后人、著

① 赵宝初：《太湖赵氏家集丛刻·石柏山房诗存》，台湾文海出版社 1974 年版，第 204 页。

② 李鼎元：《使琉球记》，台湾文海出版社 1974 年版，第 274 页。

③ 赵宝初：《太湖赵氏家集丛刻·石柏山房诗存》，台湾文海出版社 1974 年版，第 10 页。

④ 民国《太湖县志》卷三六《艺文志》。

名京剧演员赵荣琛保存。

二

赵畇（1808—1877）是赵文楷的遗腹子，字芸谱，号岵存，五旬后又号遂园、遂翁。自幼在太湖县城生长，"读书廿余年，始博科第"。[①] 28岁，考中顺天榜举人，34岁成进士，选为翰林院庶吉士。散馆授编修。在翰林院期间，赵畇除了四次充任乡、会试考官外，还参加了编纂官修史书的事务，编写了《漕运志》、《宣宗皇帝实录》（稿本）等。由于工作勤奋，成绩突出，咸丰帝特旨简拔赵畇为"上书房行走"。值得一提的是，赵畇创议编辑《筹办夷务始末》。"欲取当时一切陈奏，悉行抄录，不遗一字，亦不更一字，汇成一本，名曰'筹办夷务始末'。进呈乙览，以备检查"。[②] 由于此书的监修总裁官是咸丰帝的老师、协办大学士杜受田，后人多认为编此书出于杜的建议，而忽略了赵畇的作用。这是有失公允的。

当时，太平天国运动已经席卷东南，清朝正规军腐败无能，兵连祸结。咸丰三年（1853年），太平军攻占金陵。清廷诏令被兵各省官员们团练乡勇，"以资捍卫"。赴皖主持其事的，是工部侍郎吕贤基。吕贤基向朝廷奏请袁甲三、赵畇、李鸿章为助手。于是赵畇外放为广东知府衔，不久又升道员衔帮办团练。赴皖以后，赵畇南北奔走，视察团练；又制订团练章程六条，刊播各处。他体弱多病，又见袁甲三和安徽巡抚福济互相攻讦。李鸿章出入锋

---

① 赵宝初：《太湖赵氏家集丛刻·遂翁自订年谱》，台湾文海出版社1974年版，第73页。

② 赵宝初：《太湖赵氏家集丛刻·遂翁自订年谱》，台湾文海出版社1974年版，第45页。

镝，"翰林变作绿林"，① 积有军功，而遭众忌。赵畇深知皖局不可为，咸丰六年（1856 年）六月，出任广东惠潮嘉道。在任五年，颇有政绩。首先捐俸集资，修筑海阳县（今汕头市潮安县）潘刘隄的决口；其次创办义仓，用以稳定谷价，救济饥荒；又率兵勇压平地方盗匪，维持社会秩序。赵畇这些有益于人民大众的措施，在潮汕方志里也见记载，② 足证赵畇确是关心民瘼、兴利除弊的循吏。

咸丰十一年（1861 年），赵畇署理广东按察使。翌年，丁母忧离职，不久回皖居住安庆天台里。"优游林下者十六年，闭户罕通外事，日惟以读书临池自遣。"③ 晚年主讲安庆敬敷书院，奖掖后进，诲人不倦。

赵畇著《遂翁自订年谱》一卷，《遂园诗抄》六卷等。他的诗，风格朴素，不逞才气，但往往流露出史学功底。据说赵畇对《资治通鉴》一书，略能背诵。《临潼旅馆》诗云："天宝升平日，君王驻跸多。美人春赐浴，子弟夜传歌。谁信长生殿，偏来曳落河。至今存复道，法驾旧经过"。④ "谁信长生殿，偏来曳落河。"寥寥十字，写出了唐玄宗宠爱杨贵妃，导致安史之乱的原因。

三

第三代翰林赵继元（1828—1896?）是赵畇之子，字梓芳，号养斋。继元，22 岁成为拔贡，32 岁中举，41 岁成进士，改为庶吉

---

① 刘体仁：《异辞录》卷一《科第时代重师生之谊条》，民国石印本。
② 光绪《海阳县志》卷二一《建置略五·堤防》，卷一八《建置略二·公建》。
③ 赵宝初：《太湖赵氏家集丛刻·遂翁自订年谱》，台湾文海出版社 1974 年版，第 121 页。
④ 赵宝初：《太湖赵氏家集丛刻·遂园诗抄》，台湾文海出版社 1974 年版，第 125 页。

士。同治十年（1871 年），继元散馆考试，以出韵列三等，未能留馆，出为知县。但他捐补道员，于同治十二年（1873 年）分发江苏，先后供职于督署营务处、筹防局、两江军需总局。光绪七年（1881 年）七月，湘系元老、长江巡阅使彭玉麟出奏，弹劾赵继元把持防务，而沿江砲台多不可用。[①] 事达天聪，西太后给予江苏候补道赵继元"革职"的处分。[②] 此后，两江总督刘坤一又被免职。刘坤一的免职，牵涉到清廷高层的政治内幕，也与彭玉麟奏折所言"江防"有关。所以刘坤一与人信中，陈述事实，透露出对彭的不满："查赵道恃符陵忽，自是实情。第兴修砲台，经手人员，各有主名，该道何能任咎？且以长江钦差与两江总督商办之事，而为一候补道把持，亦觉有失身份。兼以防务何等重大，办理已七八年，彭宫保于长江年年往来，见闻早熟，何以不早参奏，迄今始肯复陈，未免动朝廷之疑。又查光绪五年五月，彭宫保与沈文肃（沈葆桢）会列前衔复奏沿江砲台情形，无一贬词。何以前后自相矛盾如此？"[③] 由此可见，将沿江砲台诸不得法的责任，完全归咎于赵继元，确实有点冤枉。

自曾国藩卒后，彭玉麟以巡阅江防大臣，每岁巡弋江皖。当时下游驻军多是淮军，湘消淮长，彭抽调湘军合字营驻防下游。而继元于"大庭广众之中，直斥合字营勇为不可靠，且谓不谙习水雷等件。"[④] 很明显，继元出言不慎，贬斥湘军，触犯了某些人物的忌讳。又因圌山关砲台（今江苏丹阳市）的奖银事件，赵继

① 彭玉麟：《彭刚直公奏稿》，"近代中国史料丛刊"（一）第 4 辑，台湾文海出版社 1974 年版，第 83—86 页。

② 《清德宗实录》卷一三二光绪七年七月条，伪满洲国务院 1937 年景印本。

③ 刘坤一：《刘忠诚公遗集·书牍》，台湾文海出版社 1974 年版，第 6514—6515 页。

④ 刘坤一：《刘忠诚公遗集·书牍》，台湾文海出版社 1974 年版，第 6357 页。

元依照规定，报请刘坤一批准，发给奖银千两。而恰恰彭于前一年巡江，"分赏焦山等处及江阴、吴淞口各勇银牌，独遗圌山关未赏。""至于修筑圌山关砲堤辛苦，经赵子芳查照各处成案，请给奖银千两。此等故事，弟（刘坤一）先不知，及闻赵子芳之言，以为理所应尔。而彭宫保大加申斥，弟亦不知其所以然。"[①] 从前，彭玉麟对赵继元印象尚好："赵道亦颇能事（乃少荃内弟），但不知其底蕴"。[②] 现在"底蕴"已明，为人偏激的彭玉麟也就不客气了。

光绪十六年（1890 年）以后，继元又在两江营务处供职，并在江宁（今南京市）棉鞋营筑室定居，卒年大约在 1895 年至 1896 年之间。[③]

继元著《静观堂遗集》二卷，诗一卷，文一卷。诗文多记咸丰乱事，颇具史料价值。风格出入于苏轼、陆游诸家，深摩宋人壁垒。妻王氏也是才女，著《三十六鸳鸯吟舫诗词》，未刊，传闻其诗稿流落日本。赵氏后人赵朴初先生利用访日机会遍寻，仍无下落。

四

第四代翰林赵曾重（1847—1912）为赵继元长子，字伯远，一字蘅甫。早年遭逢动乱，随家转徙南北。19 岁入县学，24 岁举优贡，同年又中江南乡试，成为举人。光绪二年（1876），会试中

①　刘坤一：《刘忠诚公遗集·书牍》，台湾文海出版社 1974 年版，第 6466 页。

②　黄浚：《花随人圣庵摭忆》，上海古籍出版社 1983 年版，第 156 页。按：赵继元妹赵继莲，同治二年嫁李鸿章（字少荃）为继室。继元应为李鸿章的内兄。

③　马其昶：《抱润轩文集》卷一六《赵编修墓表》云：1895 年，继元长子曾重"丐归养，主讲敬敷书院，俄丁父艰。"

式，为贡士，因假未及殿试。光绪六年（1880 年），补应殿试、朝考，被取为二甲进士，入选翰林院庶吉士。三年后散馆授编修。

"及入词馆，（曾重）益精研文史、金石、考据。时常熟翁相国、吴县潘尚书皆喜接士，士流争趋之。君于二公通家世好，自商榷文字外，无私谒。通籍十余年不迁一阶，泰然无不足之色。"[①]我们知道，同、光时期，翰林名额增多，每科常八九十人。人众缺寡，编修、检讨十余年不升职，乃是常事。曾重与翁同龢、潘祖荫有着世交渊源，权势显赫的李鸿章又是他的二姑父。但他不屑于阿附逢迎，淡泊恬退，清白自守。甲午战争之翌年（1895年），曾重离京回皖，父卒后遂不复出。主讲敬敷书院，参议地方事务，"一方赖之"[②]

曾重著《味琴山馆集》，蒋元卿的《皖人书录》未见著录，可知是未刊之稿本。《赵氏家集丛刊》收其"闱墨"二种，一为乡试硃卷，一为优贡考卷。乡试卷收首场三篇（四书艺）八股文，一首试帖诗，当是曾重的得意之作。据说曾重晚年对客"喜谈制艺，其警句背诵不遗"。[③] 在文化转型的晚清时代，曾重乃固守旧学藩篱，沉迷于八股迷津之中。不过平心而论，八股文并非"文化垃圾"，而是一种通过考察经史知识和文字水平来测验智能的标准化考试文体。[④] 今录曾重试帖诗，也是仅见的一首诗，以见其诗才。

赋得千古江山北固多

北固人怀古，登临发浩歌。

江从扬子大，山入润州多。

九派横天堑，重峦绕曲阿。

① 马其昶：《抱润轩文集》卷一六《赵编修墓表》，民国十二年（1923）刻本。
② 马其昶：《抱润轩文集》卷一六《赵编修墓表》，民国十二年（1923）刻本。
③ 马其昶：《抱润轩文集》卷一六《赵编修墓表》，民国十二年（1923）刻本。
④ 刘海峰：《科举学发凡》，厦门大学学报（哲学社科版）1994 年第 1 期。

涛声沉滟滪，秋色压岷峨。

铁瓮千寻浪，金焦两点螺。

干戈空战伐，花月几销磨。

半壁支棋局，扁舟话钓蓑。

皇图超往代，瀛海靖鲸波。

曾重的诗作，境界开阔，调高响逸，显示出深湛的功力。

太湖赵家除了四个翰林外，还有两名进士，三个举人等，现介绍如下：

赵畇侄环庆，同治十年进士，官至湖南长沙府知府。是一位清官。

赵畇又一侄继泰，娶妻黄梅帅氏，光绪十五年进士。仕至刑部主事，直隶司行走。《太湖县志》上说他"工诗古文辞"。

赵文楷的同辈赵文元，字殿南，乾隆三十三年举人。"屡上春官不第，遂退归讲学，邑中登甲科、膺显秩者，多出其门"。① 著有《岵瞻诗文集》。

赵继元第二子曾裕，字仲宽。光绪二年举人。曾参加家乡的赈灾活动，活人无算。曾裕即赵朴初的祖父。赵朴初父亲赵纬如，毕业于安徽省高等学堂，后被任命为湖北省候补知事，但他无意做官，一直在家中潜心钻研书画。赵朴初母亲陈仲瑄深谙诗词，著《冰玉影传奇》，是一部自传体的戏剧剧本。②

赵畇少子继椿，光绪二十年举人。民国初任安徽省议会副议长。安庆第一师范学校校长。继椿子赵曾俦（1896—1960），早年留学日本，并漫游英、法等国。1930 年后执教于原中央大学、南开大学、东北大学和国立安徽大学，抗战期间在第九战区（湖南

---

① 民国《太湖县志》卷一九《人物志·文苑》。
② 黄复彩：《赵朴初与安庆迎江寺》，《世界宗教文化》2005 年第 1 期。

长沙）主编《抗战纪实》（1—4册）（商务印书馆 1947 年版）。新中国成立后，继续任安徽师范学院历史系教授。值得一提的是，赵曾俦与《书目答问补正》的作者范希曾亦有交往，范希曾英年早逝，赵曾俦写有"挽末研先生"一首长诗。赵曾俦子赵恩语，生于 1936 年，1957 年夏，从芜湖一中毕业后考入北京钢铁学院，1969 年"下放"皖南九华山的桥庵村，成为"九华山人"，制茶读书研史，著《我们早已忘却了童年〈华夏文明溯源要论〉》（新华出版社 2005 年版）。

赵继元第三子曾蕃，字椒圃，清末附贡。民国九年（1920 年）任浙江瓯海道尹（北洋政府时期道的长官称为道尹）。

赵继元侄曾槐，字燧冬，自号遂遂道人，清末优贡，仕至广东巡警道、安徽寿州镇总兵。著《麻埠茶谣》一卷。[①] 麻埠，以出产茶麻著名，清代属于六安州，现属于金寨县，旧址已被响洪甸水库淹没。

众所周知，名门望族是区域文化的主要载体。要了解皖江流域的文化发展情况，就必须深入掌握这一地区的一些代表性家族的情况。太湖赵氏是诗文书翰流布海内外累世不绝的"文献之族"，文化遗泽源远流长，迄今未衰。中国人民政治协商会议第九届全国委员会副主席、中国民主促进会中央名誉主席、中国佛教协会会长赵朴初先生（1907—2000），即系赵文楷的六代孙。总之，太湖赵氏是我们从事区域文化家族史研究需要考察的重要家族之一。

最后，对安徽太湖赵氏的代表人物赵朴初做一介绍。赵朴初生于安徽省太湖县。早年就学于苏州东吴大学。1928 年后，任上海江浙佛教联合会秘书，上海佛教协会秘书，"佛教净业社"社

[①] 丘良仁，等：《中华竹枝词全编》（五）安徽卷，北京出版社 2007 年版。

长，四明银行行长。1938 年后，任上海文化界救亡协会理事，中国佛教协会秘书、主任秘书，上海慈联救济战区难民委员会常委兼收容股主任，上海净业流浪儿童教养院副院长，上海少年村村长。1945 年参与发起组建中国民主促进会。1946 年后，任上海安通运输公司、上海华运运输公司常务董事、总经理。1949 年任上海临时联合救济委员会总干事，中国人民保卫世界和平委员会常委、副主席，亚非团结委员会常委。1950 年后，任中国人民救济总会上海市分会副主席兼秘书长，华东民政部、人事部副部长，上海市人民政府政法委员会副主任。1953 年后，任中国佛教协会副会长兼秘书长，中国作家协会理事，中日友好协会副会长、中缅友好协会副会长，中国红十字会副会长、名誉副会长，中国人民争取和平与裁军协会副会长。1980 年后，任中国佛教协会会长，中国佛学院院长，中国藏语系高级佛学院顾问，中国宗教和平委员会主席，中国书法家协会副主席。他是第一、二、三、四、五届全国人大代表。作为爱国宗教界的代表，历任第一、二、三届全国政协委员，第四、五届全国政协常委，第六、七、八届全国政协副主席。

赵朴初佛学造诣程度颇深，著有《佛教常识问答》等著述，深受佛教界推崇，多次再版，流传广泛。他还是著名作家、诗人和书法大师，在诗词曲和书法方面都达到了很高的造诣。他的诗词曲作品曾先后结集为《滴水集》、《片石集》，其中不少名篇在国内外广泛传诵。2007 年 10 月华文出版社出版的《赵朴初文集》（上、下两卷），比较全面地收集了赵朴初一生的重要著述。他的书法作品俊朗神秀，在书法界久负盛名。赵朴初在遗嘱中表达生死观说："生固欣然，死亦无憾。花落还开，水流不断。我今何有，谁欤安息。明月清风，不劳寻觅。"充分展现了赵朴初豁达大度、清正平和的心灵境界。

附　太湖赵家谱系简表

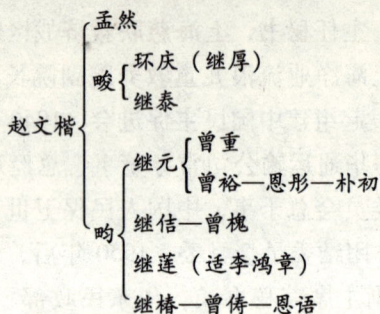

```
                    ┌ 孟然
          ┌ 晙 ─────┤ 环庆（继厚）
          │         └ 继泰
          │                    ┌ 曾重
 赵文楷 ───┤         ┌ 继元 ────┤ 曾裕—恩彤—朴初
          │         │          └
          └ 昀 ─────┤ 继估—曾槐
                    │ 继莲（适李鸿章）
                    └ 继椿—曾俦—恩语
```

原载《安徽师范大学学报》（人文社科版）1999 年第 4 期。

建德周氏的文史著述

建德周氏，自周馥奋迹皖南，历第二代学字辈，第三代明字辈，第四代良字辈，学问文章照耀海内，为世人所瞩目，为学者所取资。近年来一些书刊虽也提到建德周氏，但系统地介绍这一学术世家的文史著述，则很少见到。本文就此问题进行一些探索。

一

周馥（1837—1921），字玉山，别号兰溪，安徽建德（今池州市东至县）人。起家寒素，受知于李鸿章，咸丰十一年（1861年）入李鸿章幕府，历任天津海关道、按察使、四川布政使、山东巡抚、两江总督、两广总督等职，在治河、屯田、创建海军、开设商埠方面卓有政绩。

"馥为人清约寡欲，义所当为，屡斥万金不顾。自少以至笃老，未尝废学，晚喜读易及儒先学案，著易理汇参、负暄闲语、诗文集、奏议。又纂通商约章、教务记略、治水述要、东征日记、海军章程凡若干卷"。① 他的著作主要结集成《周悫慎公全集》，内容分为奏议、公牍、诗文集、年谱、杂著。奏议等部分多关系晚清历史，杂著部分则包括水利、易学等。

① 《周悫慎公全集》卷首《国史本传》，1922 年秋浦周氏石印本。

　　周馥历经近代重大事件，如太平天国革命、洋务运动、中日战争、戊戌变法及义和团反帝运动。《周悫慎公全集》奏议等部分亦多相关记载，尤其《年谱》二卷，记载事件始末较为详尽，如辛亥后民国政局变幻、其子学熙创办纱厂等事。这些著述的史料价值，是不言而喻的。

　　值得一提的是，《负暄闲语》、《治水述要》写成于芜湖。《负暄闲语》是一部家训类著作，略仿《颜氏家训》，分读书、体道、处事、待人等十二类。主要叙述生平力学所得、经历见闻；又附载历代理学家语录。因为周馥生平笃信程朱，在《负暄闲语》中谆谆以义理垂训。告诫子孙"随时参悟以助学力"，"即能谨守数语，终身不决，亦必受用良多"。① 周馥昔年为官，与河事相终始三十年。"日则奔走河干，夜则翻阅册牍"，积累了丰富的经验和资料。退休后写成《治水述要》。此书以年代为纲，详近略古，明清二代居多；叙述范围遍于全国，而以整顿黄河为重点。尤为可贵的是，此书从浩瀚的河工成案、文集说部、治河专著中，简明扼要地叙述了古人治水方法，极具实用价值，被誉为"旧籍之功臣，后学之导师"。② 周馥晚年写的《易理汇参》是一部兼顾资料性的易学专著，该书十二卷首一卷，卷九至卷十二摘录了46种古人易学著作。书中"每段后或有疑释，皆加案语，以示塾中子弟"。③ 这些案语是他读易心得。如《屯卦》案语云："天下之事无论如何困难，但能守之以正，而又持久不变，自如六二匪寇婚媾，十年乃字也。"这段话指出了应付困境的方法，表明他深悟《周易》的"涉世妙用"。

　　周馥第四子周学熙（1866—1947），字缉之，号止庵，又号卧

① 《周悫慎公全集·负暄闲语叙》，1922 年秋浦周氏石印本。
② 《周悫慎公全集·治水叙要于式枚序》，1922 年秋浦周氏石印本。
③ 《周悫慎公全集·易理汇参自序》，1922 年秋浦周氏石印本。

云居士。光绪十九年（1893 年）举人，官至直隶按察使。北洋政府时期两次出任财政总长。周学熙经营新时代的工业，创办了许多有益于国计民生的企业，最出名的是唐山启新洋灰公司。在民国初期的实业界，他与南通张謇齐名，号称"南张北周"。又有近代北方工业之父之称。

1924 年，周学熙从实业界退休，从此吟诗刻书，课读子孙。1930 年成立师古堂刻书局，刊行大型丛书《周氏师古堂所编书》数百卷，收书五十余种，而周学熙编著的计二十种，其中《圣哲学粹》四十四卷，是一部资料汇编著作。前编学说部分，依朱熹《小学》的体例，分立教、明伦、敬身三类，从经史百家中采辑古今儒家的语录，由姚永朴编辑。后编学案部分，仿黄宗羲《宋元学案》的体例，自孔孟以至清季四十余家，各摘其生平、言行、著述，由陈朝爵、李大防合编。最后由周学熙通校定稿。"该书集古先圣微言大义，提要钩元，使末学之士得窥见数千年圣哲学术之藩篱，固儒家之宗镜录与传灯录也"。《古训粹编》一书"集诸家格言，皆庸言庸行，平正通达，为修身淑世之本，皆布帛粟菽之谈"。① 布帛粟菽之谈，是朱熹称赞程子的话。意思是圣贤的著作如布帛粟菽一样，对人有长久的使用价值。这两部书，大体反映了周学熙致力程朱理学的概况。

周学熙著有《西学要领》、《东游日记》等，还著有自传和诗集。他晚年有《止庵诗存》、《止庵诗外集》两种。这些诗篇，或养性怡情，或讽喻刺时，颇具有白香山"浅切"、陆放翁"闲适细腻"的风格。

周馥的长子周学海（1856—1906），字澄之，光绪壬辰科（1892 年）进士，官至浙江候补道。学海淡于荣利，潜心医学，尤

---

① 《周止庵先生别传》，1948 年排印本。

长于脉学。宦游江、淮间，时为人疗治，常病不异人，遇疑难病症，辄有奇效。学海积三十年功力编撰的《周氏医学丛书》，系我国中医学十大丛书之一。

《周氏医学丛书》共三集，凡 32 种 195 卷。初集刻古医书十二种，"所据多宋元旧椠、藏家秘笈，校勘精审，世称善本云"。①二集、三集为学海撰著、评注书。专家认为：学海对于中医诊断学有较大的发挥，所著《脉学四种》，是他精研近百种古医书，吸取其中脉学精华，参以自己的临床体会写成。凡前人有未发明者或有误解者，皆一一阐明而加以纠正。这是一部宋元以来关于脉学总结性的著作。另外，学海评注的著作，也是言之有物，不依托附会。总之，《周氏医学丛书》内容广泛，实用性强，问世以来，风行海内，迭有重印。

二

"明"字辈学人有周叔弢、周季木、周明泰（志辅）等。

周叔弢（1891—1984），原名明扬，后改名暹，字叔弢，以字行，晚年自号弢翁。叔弢是学海第三子，生于扬州，1914 年移居天津。1919 年随叔父经营企业，从而成为北方民族工商界代表人物。建国后历任天津市副市长、全国工商联副主席、第六届全国政协副主席。

周叔弢是著名古籍藏书家、版本目录学家。他自幼勤奋好学，因读书而爱书。几十年来，四处搜求宋元佳刊、名抄精校，集腋成裘，藏书甚丰。"声光腾焯，崛起北方，与木犀轩、双鉴楼鼎足而立，骎骎且驾而上之"。②即是说周叔弢藏书与傅增湘"双鉴

---

① 《清史稿》卷五〇二《周学海传》。
② 冀淑英：《自庄严堪善本书目·傅增湘序》，天津古籍出版社 1985 年版。

楼"、李盛铎"木犀轩"鼎足而立，成为北方平津一带三个最大的宋元本私人收藏。由于周叔弢与上海藏书家陈清华均收获晚清"南瞿（江苏常熟瞿氏铁琴铜剑楼）北杨（山东聊城杨氏海源阁）"旧藏的很多精品，时人又有"南陈北周"之称。新中国成立后，他收藏的善本古籍全部分批捐献国家，真正做到了"化私为公，造福后人"（郑振铎语）。

周叔弢早年曾与德国学者尉礼贤［后改用卫礼贤（Richard Wilhelm. 1873—1930）］合译康德哲学著作《人心能力论》（商务印书馆 1914 年版）。后来他尽力访求古籍善本，稽考目录，辨别版本，于所藏及所校之书，每撰有题识。这些题识大部分编入《自庄严堪善本书目》中，为古籍整理界所推服。首先，这些藏书题识，渊源古人又具时代气息。他记书肆、书估、书价及行款、纸色、印记等，"跋一书而其书之形状如在眼前"，[①] 大有清代著名藏书家黄荛圃书跋的风味。同时，字里行间，洋溢着爱书之情、爱国之情。1982 年，旧藏的宋蜀本《王摩诘集》影印本出版，已经 92 岁高龄的周叔弢得见此书影印本，兴奋异常，当即写下一篇题跋："今于珏良家见此影本，如晤故人，数十年前光景恍然在目。国家重视文物，化身千百，佳惠士林，可为此书庆。我一人欣然欢呼，乌足以尽之。"[②] 其次，他的题识涉及学术面颇广。诸如目录学的考订、版刻之源流、文史知识，以及书林逸话，乃至抄校本的鉴定，古籍善本的保护，无不包容。研考至精，多为前人所未道。弢翁《寒山子诗》题识说："书中各印试吴迪生印泥未几变黑，顷见海源阁藏书，杨敬夫各印亦如是，想举为吴氏所欺也。甲戌（1934 年）十二月记。老弢。""诸印变色者，以双氧水涂之，顿复旧观，为之大快，杨氏诸印亦如是。乙酉（1945 年）

---

① 《荛圃藏书题识》缪荃孙序，民国八年江阴缪氏刊本。
② 周珏良：《我父亲和书》，《文献》第 21 辑。

二月初二日弢翁。"① 即是关于藏书印记的保护方法，为一般版本目录著作所罕见。按：双氧水即过氧化氢（H_2O_2），用做氧化剂，接触变色的印记，发生氧化还原反应，恢复旧观。陈伟达、张再旺、李瑞环、阎达开所撰《深切关怀爱国老人周叔弢》一文指出："周老根据他多年的丰富经验和精神知识，已经写下了《善本书目》以及《谈书》小册子。这是他留给后人的一份宝贵遗产。"②《善本书目》即《自庄严堪善本书目》，由国家图书馆冀淑英先生编写，是周叔弢于 1952 年捐赠国家图书馆的 700 多种珍贵善本书目录，其中宋刊本 70 余部、元刊本 40 余部，明清刻本、抄本 600 余部。此书不仅有目录、书影（仅有书影五十幅，并且印制未精），而且有弢翁藏书题识。手此一卷不啻面对宋、元、明、抄、校精本，对于专攻版本目录学有重要的参考价值。③《谈书》系周叔弢在天津为图书馆工作人员讲课手稿，未出版。2009 年 5 月，国家图书馆出版社出版《周叔弢批注楹书隅录》（全三册），2009 年 7 月，国家图书馆出版社出版《周叔弢古书经眼录》（全二册），这些著作蕴含了大量的历史和学术信息，为古籍版本目录学的研究提供了参考资料。周一良主编，周景良、程有庆副主编的《自庄严堪善本书影》（全七册），也在 2010 年 9 月由国家图书馆出版社出版。近年来，文化部、财政部实施的"中华再造善本工程"，选择了周叔弢先生所捐的 53 种珍贵文献影印出版，使之化身千百，为学界所应用，为大众所共享。周叔弢先生所捐的 75 种藏书还入选了由国务院颁布的《国家珍贵古籍名录》，其捐书义举影响深远。

---

① 李国庆：《弢翁藏书年谱》，黄山书社 2000 年版，第 6 页。
② 《天津日报》，1984 年 4 月 23 日。
③ 冀淑英：《自庄严堪善本书目》，天津古籍出版社 1985 年版。

　　周叔弢哲嗣珏良先生总结弢翁与书之关系，归为"苦心收书，一心爱书，热心献书"，诚为知言。①

　　周叔弢之弟周进（1893—1937），字季木，为著名金石学家。季木精通文物鉴定，集古兴趣广泛，所蓄三代彝器、汉晋石刻以及印玺、封泥丰富，又长于书法，为世所重。代表作是《居贞草堂汉晋石影》（民国十八年版）。此书特点有三：其一，收录一百三十一品，数量虽少，但都是传世至稀的汉晋石刻精品，具有很高的史学价值。如"晋当利里社残碑"，为晋代"社"的基层组织提供珍贵的研究资料。又有"石尠、石定两墓志"，对研究晋史也提供了资料，周一良曾据此碑订补有关史籍缺误。其二，季木"以一人之力，精鉴深研。每遇一石，必审核至再而后收之，故凡所著录，皆有征验，不沾沾以浩博自表襮。"② 其三，是书采用了原件缩影石印法；并为之编目，记载石刻之长宽尺寸、出土时地、见否著录，以备学者参考。专家认为季木之书超过了清末大藏家端方著的《陶斋藏石记》。季木搜集封泥（古代文件封口胶泥上的印文）也很勤，所得亦夥。后来出让给堂弟周志辅，由志辅编成《续封泥考略》六卷、《再续封泥考略》四卷，于民国十七年（1928年）在北京印行。《季木藏陶》一书，由孙浔（季木的女婿）请顾廷龙整理，于1943年精印成书。后来周绍良又加整理，并委托北京大学李零教授考释，成《新编全本季木藏陶》（中华书局1998年版），内容更加完备，至今仍是研究六国古文字的重要资料。季木所藏十九件铜器由商乘祚收入《十二家吉金图录》，印行传世。季木还辑有《汉魏石经室藏印》、《季木藏印》。据说季木所得古钱币佳品极多，如不流散，亦可岿然成家。

　　戏剧史家周志辅是周学熙的长子，原名明泰，字志辅，别号

①　冀淑英：《冀淑英文集》，北京图书馆出版社2004年版，第143页。
②　《居贞草堂汉晋石影》柯昌泗序，1929年秋浦周氏天津影印本。

几礼居主人。1896 年生于泰州。早年在北洋政府任职，1928 年后从事实业，在唐山、天津、上海等地的纱厂、银行，任董事、常务董事、董事长。1949 年由上海移寓香港，后又移居美国，1994 年 5 月在华盛顿郊区逝世。

周志辅勤于著述，出版的著作有数十种之多，主要集中在史学和戏曲文献学方面。史学方面他走的是传统国学路数，著有《三曾年谱》、《三国志世系表》、《后汉县邑省并表》等。其中《三国志世系表》是一篇成功之作，眉目清楚，上端标明出处，便于查阅。以上二表都收入《二十五史补编》，署名周明泰。《三曾年谱》中《曾子固年谱稿》、《曾子宣年谱稿》、《曾子开年谱稿》载于《北京图书馆藏珍本年谱丛刊》，北京图书馆出版社 1999 年版。周志辅（明泰）说："余草曾子开年谱以配其两兄，而为三曾年谱。盖取其文章勋位，萃于一门，为古今所罕见也"。

《续封泥考略》六卷《再续封泥考略》四卷，系摹仿我国第一部封泥资料专书——《封泥考略》编成，封泥，又名印泥，为古印之一种。由于封泥上所施印文皆两汉官印，对于考证古代官制、地理、古文字及篆刻艺术，为用至大。周明泰此书，收罗八百余方封泥，并对每印作了考释。对于研治史学、小学的学者，可减省寻觅校证的劳累。

周志辅早年在京，正值京剧鼎盛阶段。他因痴迷京剧，常与杨小楼、梅兰芳、余叔岩等名家往来，熟悉梨园掌故。为搜集相关文献和重要资料，常常置千金而不顾。编著《几礼居戏曲丛书》六种。① 其中《道咸以来梨园系年小录》，辑录了嘉庆十八年（1813 年）至民国二十一年（1932 年）北京戏曲界的资料，这些

---

①　包括《〈都门记略〉中之戏曲资料》、《五十年来北平戏剧史料》、《道咸以来梨园系年小录》、《清升平署存档案事例漫抄》、《京剧近百年琐记》、《六十年来京剧史料》。

资料包括演员的生平简历和一些重要演出的剧目单。有关专家认为："完整地著录一大批剧目供后人参考研究的，只有《道咸以来梨园系年小录》这一本书。"① 极受学者重视。又，《京剧近百年琐记》系《道咸以来梨园系年小录》增补本。《清升平署存档事例漫抄》根据清升平署所存档案摘抄而成，分门别类，厘为六卷。主要记载升平署的沿革制度、演出及挑选民籍教习等活动。对研究京剧史有一定参考价值。此书收入台湾学者沈云龙主编的《近代中国史料丛刊》初编中。晚年著《杨小楼评传》，由他的女儿经营的书店出版，在海外发行，1992 年由北京燕山出版社出版。他还著有《几礼居随笔》、《几礼居杂著》、《枕流答问》、《元明乐府套数举略》等。周志辅有关京剧史的著作，几乎台湾书商都翻印了。② 据悉，国内江苏古籍出版社拟出版周氏的《几礼居丛书》。

　　1949 年，周志辅在离开上海时，将自己收藏的戏曲藏书及文献委托顾廷龙保管，顾廷龙还请潘景郑编成目录《至德周氏几礼居藏戏曲文献录存》（1951 年油印本），总共 2876 册，3983 张。从此这些珍贵的戏曲文献资料，深藏在上海图书馆善本书库，相信以后一定会被后人加以研究和利用。③

　　明字辈学人还有佛学家、佛教文化学家、佛教教育家周叔迦（1899—1971），原名明夔，字志和，笔名演济、沧珩、二埋、水月光，室号最上云音。早年于同济大学学工科，后潜心佛乘，撰有大量研究佛教文化的理论专著，其中如《中国佛教史》系作者通览佛教史籍、二十四史和史家随笔后撰成，资料翔实，立论新颖，自成一家之言。《法苑谈丛》一书，记载寺院的各种规章、法

①　《戏剧研究》第 12 辑，文化艺术出版社 1984 年版，第 254 页。
②　牟润孙：《海遗丛稿》（二编），中华书局 2009 年版，第 279 页。
③　沈津：《周志辅和他收藏的戏曲文献》，《中国典籍与文化》2003 年第 3 期。

事的诸般仪式，僧服的色彩变化，以及佛菩萨像的绘制等等，是近代佛教制度的翔实记录，也是后人考察必不可缺的史实依据。[①] 此外，如《印度佛教史》、《牟子丛残》、《宋元明译经图纪》、《漫谈佛画》等，于中印历史的考证，佛教艺术的渊源，均有简明扼要的论述。

三

"良"字辈学人以周一良、周绍良最著。

周一良（1913—2001），周叔弢的长子。自幼在家塾读书，奠定国学基础。1935 年燕京大学毕业，1944 年美国哈佛大学毕业，获博士学位。1946 年回国后任教于燕京大学、清华大学，1952 年以后，执教于北京大学历史系。周一良先生学兼中外，为 20 世纪中国史学的重要代表人物。其治学范围涉及中国史、日本史、亚洲史、佛学、敦煌学、文化史等诸方面，而以治魏晋南北朝史最闻名。

周一良在魏晋南北朝史领域著有《魏晋南北朝史论集》（中华书局 1963 年版）、《魏晋南北朝史札记》（中华书局 1985 年版）、《魏晋南北朝史论集续编》（北京大学出版社 1991 年版）三本书。《魏晋南北朝史论集》所收学术文章，大都是 1949 年前发表的。其中《南朝境内之各种人及政府对待之政策》一文，征引旧史，贯串新知，长达数万言。成功地论述了南朝政府对待地主阶级（侨姓、吴姓）、人民、少数民族的政策，及与之相关的区域分布问题。当年陈寅恪先生读后，"深为倾服"。《乞活考》针对晋代史籍中语焉不详的"乞活"，运用墓志、敦煌文书、水经注等材料，

----

① 周叔迦：《周叔迦集》，中国社会科学出版社 1995 年版，第 2 页。

钩稽推论出这一流民组织的发展和演变过程及其对两晋社会的深远影响。《领民酋长与六州都督》一文，解释了北朝史上两个重要名词的含义，发前人一千多年未发之覆，是周一良的代表作之一，入选《20世纪中华学术经典文库·中国古代史卷》（兰州大学出版社2000年版）。《魏晋南北朝史论集续编》所收的几篇史学史文章，从总体上把握这个时期史学的基本面貌。揭示了"古人修史，基本史实的叙述大体因袭前人著作为多。"又说："纪传体史书仍自有最能体现作者特色的地方，就是序和论部分"。这些论述对于我们理解古代史学著作十分有益。

《魏晋南北朝史札记》写成于20世纪80年代初。共收346个条目，35万余言，内容宏富，考证精审。对魏晋以降中古文献的词语考释，扫清了六朝史籍上不少"拦路虎"，对阅读魏晋南北朝史籍起到工具书的作用。还有对重大史实和典章制度的论述，均有创见。如"调度"条、"王僧虔诫子"条，指出"调度"即能力之意；作名词即用具之意。亦作身边器物用具解，至今日本口语中还在使用。①"顾荣推荐之吴士"条，据《晋书·顾荣传》排列出顾荣推荐吴地士人名单，除陆晔、贺循、甘卓《晋书》有传，其余五六人在《晋书》中仅此一见。这就为东晋初"百六掾"的考证，提供了极有用的线索。"东晋南朝地理形势与政治"条，论述了扬州与荆州在当时政治军事斗争中的地位与作用，总结了其中带有规律性的现象。南朝以后，"世家大族不能再控制荆扬等重要地区，军事实力大为削弱，政治上之力量亦因之而减……夺取政权之新王朝，军事实力多依赖低级门阀或南方寒庶出身之武将，而政治影响方面，仍必须借重侨旧高门"。这样的估价，要言不烦，恰中肯綮，是精彩大概括。总之，这是一部有高度学术价值

---

① 周一良：《魏晋南北朝史札记》，中华书局1985年版，第245页、第373页。

的专著，"实为代表其学术观点的系统性专题论集"。① 日本学者川胜义雄读《魏晋南北朝史札记》后有感："我辈外国人终难与本国学者相匹敌耳。"

周一良在日本史、亚洲史领域，主要以中日关系史及明治维新史为研究重点，曾发表论文十多篇，汇集出版的有《中日文化关系史论》（江西人民出版社 1990 年版）。20 世纪 50 年代，他根据北大授课讲义，整理成《亚洲各国古代史》（高等教育出版社 1958 年版），填补了这项领域的空白。20 世纪 60 年代，他和吴于廑教授主编的四卷本《世界通史》，号称"周编四卷本"，是我国第一部以马克思主义为指导的世界史教材，此书注意破除西方中心论的倾向，加强亚非拉部分，材料较为丰富，论点较为平实。该书作为高等学校文科教材，多次再版印刷，受到各校历史系师生的欢迎，推进了中国的世界史学科研究。这一领域的论著，晚年收在《周一良集》第 4 卷（辽宁教育出版社 1998 年版）。

周一良晚年写的《毕竟是书生》、《郊叟曝言》、《钻石婚杂忆》，把自己的家世、经历形诸文字。他还以"毕竟是书生"这五个字刻了一方图章，并说此五个字"实际上也可用以概况我的一生"。北京大学田余庆教授说："（这些书）同样是历史"。又说"周先生随笔性的作品都有很高的学术含量，都是名家史笔，我是很同意的。这三部自传性的书以叙事为主，间有议论，寓论于史。他取《毕竟是书生》为头一部自传体著作的书名，凝重中隐含沉痛，表明了他的史法特点"。② 读周先生晚年文章，感受到他对自己青年时代的信仰是那么留恋。他于 20 世纪 90 年代回忆陈寅恪，用了"向陈寅恪先生请罪"这样的说法，可以想见，其内心是多

① 高敏：《评周一良著〈魏晋南北朝史札记〉》，《史学月刊》1989 年第 5 期。
② 周启锐：《载物集——周一良先生的学术与人生》，清华大学出版社 2003 年版，第 53 页。

么痛苦。①

周绍良（1917—2005）是著名佛教学者周叔迦之子，六岁开蒙，在家塾读书，早年曾从孟森、陈垣、钱穆等问学，并在北京大学史学系旁听。新中国成立后供职于人民文学出版社，"文革"后任国务院古籍整理出版规划小组顾问、文化部文物鉴定委员会委员、中国佛教协会副会长等职。

周绍良一生学术领域广泛，笔耕不辍，著述宏富。在红学、敦煌学、佛学、清墨研究、唐史和古典小说等方面均有造诣，是学界称道的著名文史学家。红学领域，与朱南铣（1916—1970）合编《红楼梦书录》、《古典文学研究资料汇编·红楼梦卷》等，辑录了1954年10月以前有关《红楼梦》的主要资料和书目，是汇集曹雪芹和《红楼梦》有关资料最全面、最丰富的两部书，并著《〈红楼梦〉研究论集》，是知名的《红楼梦》研究专家。② 敦煌文学是他研究的重点，在这方面作过许多开创性的工作。20世纪50年代，他编撰了《敦煌变文汇录》，校录出38篇变文，篇后均有简要说明、考订。这是世界上第一部敦煌变文专集。20世纪80年代，他和白化文编的《敦煌变文论文录》（上海古籍出版社1982年版），收入六十篇论文，基本上反映出1949年后这方面的研究成果。周绍良主编《敦煌文学作品选》（中华书局1987年版）从浩繁的敦煌文学写卷，选出较有代表性的73篇作品，分类编排，详加校释，成为一部独具特色的文学作品选本。《敦煌语言文学研究》（北京大学出版社1988年版）这部论文集也是他领导纂集的，内收1986年酒泉年会论文十六篇，是我国第一部研究敦煌语言和文学论文的专集。另外，他的《谈唐代民间文学——读〈中国文

---

① 谢泳：《周一良五十年代的思想倾向》，载爱思想网，笔会，谢泳专栏。
② 该书先有山西人民出版社1983年版，后收入《绍良文集》中册，北京古籍出版社2005年版。

学史〉"变文"节书后》是关于敦煌俗文学文体分类论的最早论文，他对于半个多世纪以来被笼统视为变文的东西重新审查，提出变文可分为六类，发展了向达《唐代俗讲考》的三类的说法。1985 年他写的《唐代变文及其它》，又将变文分为八类，并分析了每一类的文体的特征。"这篇文章是周先生总结自己对于敦煌卷子中说唱故事类作品四十年研究的成果，深入浅出，其中有许多创见，发表后深受敦煌研究者的注意"。① 在《敦煌文学"儿郎伟"并跋》一文中，周绍良发现了"儿郎伟"这一湮灭不闻的文体，指出它是类如明代俗曲"打枣竿"之类的曲调，描写内容是驱傩（驱鬼）、上梁（建营）、障车（婚娶）三类。此文上勾下联，言人之所不能言，显示出深厚的学力。1987 年在香港召开国际敦煌吐鲁番学术会议上，周绍良宣读论文《敦煌文学概论》，这是一篇全面地研究敦煌文学作品分类论的文章。首先阐述了敦煌文学的内涵，成为迄今为止最完善的解释；然后从文体方面按《文选》的分类法，将敦煌文学作品分成 20 多类，突破了以前只以变文、俗讲文、诗、曲子词等为范围的敦煌文学概念，认为还应该包括书、启、状、牒、碑、铭等，这是一种新的分类和尝试。② 值得一提的是，周绍良主编的《敦煌文献分类录校丛刊》，这套丛刊至1998 年出版了 10 种。如宁可、郝春文《敦煌社邑文书辑校》，沙知《敦煌契约文书辑校》等，以收录齐全、释文准确为学界称道。

在清墨研究领域，周绍良藏有 1000 余件清代具有年款的墨，具有极高的文物价值和观赏价值。他还著有谈墨的著作，如《清代名墨丛谈》、《蓄墨小言》（上、下册）、《清墨丛谈》、《曹素功

---

① 白化文：《周绍良先生的学术活动》，《文献》1989 年第 1 期。

② 此文删节稿载《甘肃社会科学》1988 年第 1 期，《敦煌文学概论》后经增补，改名为《敦煌文学刍议》。该文与《唐代变文及其它》，均收入《敦煌变文刍议及其它》，台北新文丰出版公司 1992 年版。

制墨世家》。《清代名墨丛谈》以笔记体写成，记载了制墨家、藏墨家及达官名士自用墨的第一手资料，并附拓片，对好墨者有很大的参考价值。书中关于徽墨掌故俯拾皆是，今之治"徽学"者不妨一读。在佛学方面，周绍良有着佛学的家传，从小信仰佛教，诵读佛经，对于佛学典籍非常熟悉。曾主编《房山石经》。佛教方面的论文以文献研究为主，散见于学术刊物。值得一提的是，集《红楼梦》研究与佛学于一身，二者"跨距"如此之大，难怪友人舒芜开玩笑说：真是"由色悟空"了。在唐史领域，周绍良著《资治通鉴唐纪勘误》（北京师范大学出版社 2001 年版），是他早年向陈垣先生学习唐史的作业，后经整理，于 2001 年出版。他还著有《〈新唐书·宰相世系表〉校异》，用两唐书、全唐文、墓志等考订了《新唐书·宰相世系表》的失误，并补《新唐书·宰相世系表》之阙。周绍良主张"为学术界做点有用的事情"。① 主编《唐代墓志汇编》（上海古籍出版社 1992 年版），收志 3604 方，录文 370 万字，其中由周绍良提供的墓志拓本为 1773 种，占总数的百分之六十左右。该书按年号先后编号排列，加标点断句，最便利用。周绍良、赵超主编《唐代墓志汇编续集》（上海古籍出版社2001 年版），着重收录 1948 年以后出土或初次发表的唐代墓志材料，有 1700 余种。这两种墓志作为研究唐代文化、历史的重要文献资料，号称"治唐史必备之书"。在古典小说及文学史研究领域，周绍良著《唐传奇笺证》、《〈唐才子传〉笺证稿》、《绍良丛稿》等。《绍良丛稿》中《从老庄思想论〈兰亭序〉之真伪》是周绍良比较重要的一篇文章，提出晋代老庄之争这个值得注意的问题，从而证明王羲之的思想是崇老反庄的，"王羲之崇老反庄，老学积极、庄学消极"，给后人研究晋代思想以很大启发。《谈唐

---

① 《周绍良先生纪念文集》，北京图书馆出版社 2006 年版，第 205 页。

代的三国故事》此文援引了唐代僧人释大觉的《四分律行事钞批》等材料，钩稽出唐代的一些三国故事，开创了古典文学界从佛藏中寻觅稀见资料的范例。《关索考》根据地名、绰号等线索，考证出失传的关索故事，与后来上海出土的说唱故事《花关索传》对证，可以说是完全一致。这篇力作曾获得国外学者的一片惊叹。周绍良还是文化圈中公认的美食家，晚年他以轻松、幽默的笔调写出《馂余杂记》（北京燕山出版社 2003 年版），即是专谈饮食文化的书。

苏州王謇（1888—1969）的《续补藏书纪事诗》（书目文献出版社 1987 年版）中有《周绍良》一首：

> 深闺文笔六百卷，榴花入梦鼓子词。
>
> 小说珍本复孤本，牛腰巨桢篋藏之。

说的是周绍良收藏小说孤本珍本为多。周绍良收藏的清抄本《榴花梦》，共 260 册，清道光间李桂玉撰，是我国最长的一部弹词作品，为现存的孤本。周绍良先生逝世后，史家黄永年挽联云："红著问事学林共赏传奇话本，老友归去何人与谈通鉴两唐"。[①] 概括出周老博涉精专、文史淹通的学术特征。周绍良说："资料和学问是拿岁月和精力换来的，只要不怕艰苦，持之以恒，书读得多了，资料积累得多了，你就自然会选择研究题目，发现新的角度，形成自己搜集资料、归纳资料的一套方法。学问是和资料一起成熟的"。[②] 这句话既是夫子自道，又是金针度人的良言。

周煦良（1905—1984），周达第二子，早年入读于上海大同学院、光华大学，1932 年获英国爱丁堡大学文学硕士学位，历任暨南大学、武汉大学、华东师范大学等校教授。周煦良是我国著名

---

① 白化文：《周绍良先生纪念文集》，北京图书馆出版社 2006 年版，第 523 页。
② 群忠：《周绍良：读书不止，搜集资料不止》，《图书馆界》2004 年第 4 期。

的英国文学翻译家，译作有英国高尔斯华绥《福尔赛世家》三部曲、英国小说家毛姆《刀锋》等长篇小说，收入《周煦良文集》七卷本（上海译文出版社 2007 年版）。

周珏良（1916—1992），周叔弢次子。早年在北平清华大学和昆明西南联合大学外国语文系学习，于 1940 年毕业。1948 年获美国芝加哥大学硕士，回国后任北京外国语学院英语系教授，曾担任外交部翻译室副主任。在英美文学、中西比较文学方面深有研究，而中国文学修养也很好，擅书法，爱好集墨，尤好收集婺源墨。著《周珏良文集》（外语教学与研究出版社 1994 年版）。《周珏良文集》分论文部分和译文部分。论文部分可分两类，第一类是外国文学评论，谈译诗和中英文化交流；第二类是有关他父亲周叔弢藏书以及他本人的藏墨文章，红楼梦的英文文章。译文部分有小说、文论、诗歌等。值得一提的是，英文文章（近年来《红楼梦》研究概述），展示出周珏良中外文学的素养和功力，"此文发表后产生了极好效果，国外对《红楼梦》这部世界文学名著有兴趣的学术界朋友看了它，没有一个不说好的"。①

顺带说一下，1990 年 5 月，珏良先生曾邮寄《自庄严堪善本书目》于笔者。

周榘良（1925—2009），著名实业家周志俊之子。1948 年上海交通大学毕业，1956 年支援西北来兰州，在甘肃省建委系统工作，曾任甘肃省建筑科研所所长，高级工程师。1990 年离休后从事东至周氏家族研究，撰写《甲午战争前后的周馥》（《安徽史学》1997 年第 3 期）《周馥和两所学校的历史渊源》（《江淮文史》2005 年第 2 期）等。又搜集先人遗作，主编《安徽东至周氏近代诗选》（1 至 5 册）（2004 年内部刊行版）。榘良先生与笔者一直保

①　周珏良：《周珏良文集·王佐良序》，外语教学与研究出版社 1994 年版。

持书信联系，今遽归道山，思之怃然。

　　建德周氏良字辈以下是启字辈，启字辈亦有学者，如周启成、周启乾、周启博、周启晋、周小鹃等，五世书香，不愧为一个具有深厚文化传统的大家族。正如周启晋所说："念余家自高祖玉山公投笔从戎，至今已历百年，可谓钟鸣鼎食。于中国近代史中历五世不衰者亦唯此一家耳"。①

　　　　　　　　原载《安徽师大学报》第19卷（1991年）第2期。

---

　　①　周绍良：《绍良书话》，中华书局2009年版，第263页。

第二篇 皖江古代经济研究

东晋南朝皖南的社会经济

东晋南朝时期，随着江南的开发，在南北两支劳动大军的努力下，皖南的社会经济有了明显发展。这一问题，前辈时贤略有涉及，但仍有探索的余地。诚如卞孝萱教授所说："六朝社会状况与地区开发，等等，都还研究得不充分，而又不能不去做深入的探讨"。① 比如许辉、蒋福亚《六朝经济史》"三吴经济区"部分，亦没有介绍皖南经济。就此，笔者发掘了一些史料，提出初步看法，以就正于方家同仁。

一

我国封建社会，最重要的经济部门是农业领域。农业发展了，社会经济也就日渐繁荣。况且东晋南朝江南的开发是以农业的发展为先导的。本文依据皖南的自然地貌，分别从沿江平原、丘陵岗阜、皖南山区进行考察。

沿江区。皖南旁江一带，本是江水宣泄之地，地卑蓄水，湖

---

① 许辉，等：《六朝文化》，江苏古籍出版社 2001 年版，第 9 页。

泊较多。当涂东南有丹阳湖，周回三百余里。宣城北有青土湖。
"芜湖"原非聚落，而是鸠兹邑附近的一个古代湖泊，"以其地卑，
蓄水非深，而生芜藻，故因以名县焉"。① 湖水弥漫，土地肥沃。
自孙吴立国江南，于沿江要地、古丹阳湖区（按：今江苏高淳、
溧水和安徽当涂、芜湖、宣城诸县之交，地当水阳江下游，古为
丹阳湖区）积极经营，大兴屯田，从此本区才有了较大规模的
开发。

永嘉乱后，北方战乱频仍，北人南徙浪潮不息。东晋政府于
是在皖南沿江一带设置侨郡县，安置这些移民。先后设立了襄城
郡、庐江郡、淮南郡、上党郡等，主要分布在今青阳、当涂之间
的傍江地带。这些侨郡县随设随撤，移动频繁，晋宋后只有淮南
侨郡固定下来，成为建制。南朝宋时淮南郡领县 6，户 5362，口
25840。② 襄垣为其中一县。襄垣县侨置在芜湖，分割芜湖为实土，
治今安徽芜湖市，居住着山西上党的侨民。刘宋泰始二年（466
年）爆发的"义嘉之乱"，是宋明帝和他的侄儿子勋的皇位之争。
子勋发兵东下，其将刘胡驻军鹊头（今安徽铜陵市境内）。《宋书》
卷八四《邓琬传》说："初，淮南定陵人贾袭宗本县已为刘胡所
得，率二十人投沈攸之。攸之言之建安王休仁，休仁拔为司徒参
军督护，使还乡里招集"。按定陵县本属豫州襄城郡，东晋为之侨
置定陵县（今安徽青阳县东北），"后割芜湖为境"，③ 成为淮南郡
的属县。这位在地方上颇具影响的贾袭宗可能是侨流后裔。此外，
谯郡桓彝扶母携弟南渡后卜居宣城郡宛陵。《晋书·桓彝传》称有
"坟柏"在宛陵。桓彝死于苏峻之难，也归葬宣城。光绪《宣城县

---

① 《太平御览》卷四六，四部丛刊本。
② 《宋书》卷三五《州郡志》。学界多认为，由于私家分割、民众脱籍等，《宋书·州郡志》中著籍户口数低于实际户口数。
③ 《宋书》卷三五《州郡志》。

志》说：桓彝葬于城北五十里符里镇，地当今芜湖县花桥镇东门渡。我们知道，东门渡一带河汊纵横，毗邻古丹阳湖。桓彝第四子桓秘罢官后居宛陵墓所，"放志田园，好游山水"。① 这里田系指生产粮麻作物的水旱田地，园系指果园蔬圃等。陈寅恪先生说："吾国中古士人，其祖坟住宅及田产皆有连带关系"。② 证以琅玡王氏、陈郡谢氏在东土会稽汲汲于"求田问舍"，经营产业，我们没有理由怀疑谯郡桓氏在皖南宣城建立田园别墅，"殖产兴利"，进行经济开发了。

总之，南下的北方侨民不仅给当地提供劳力，而且带来了北方先进的生产经验和技术，从而加速了皖南沿江经济的开发。再加上东晋政府对待侨流的政策：建立侨郡县，承认流人为侨人，给予侨民以持白籍、免除税役的权利。皖南沿江经济文化因此迅速发展。③ 到梁代，姑孰（今马鞍山市）附近已是"良畴美柘，畎畝相望，连宇高甍，阡陌如绣"。④ 一派田美土肥之气象。

丘陵岗阜区。东晋咸和二年（327年），庐江何琦因苏峻之乱，"居于宣城阳谷县，事母孜孜，朝夕色养，常患甘鲜不赡"。⑤ 考何琦这批江北侨民的新居地，当在今南陵县大工山界。⑥《晋书·孝友传》说何琦"不营产业，节俭寡欲，丰约与乡邻共之"。可知是以乡族为主的垦殖单位。《晋书》卷九四《隐逸传》又说："瞿硎先生者，不得姓名，亦不知何许人也。太和末，常居宣城郡界文脊山中，山有瞿硎，因以为名焉。大司马桓温尝往造之。既至，

① 《晋书》卷七四《桓彝传附桓秘传》。
② 陈寅恪：《论李栖筠自赵徙卫事》，《金明馆丛稿二编》，上海古籍出版社1980年版，第2页。
③ 万绳楠：《江东侨郡县的建立与经济的开发》，《中国史研究》1992年第3期。
④ 《陈书》卷五《宣帝纪》。
⑤ 《晋书》卷八八《何琦传》。
⑥ 嘉靖《宁国府志》卷五《表镇纪》。

见先生被鹿裘，坐于石室，神无忤色，温及僚佐数十人皆莫测之，乃命伏滔为之铭赞。竟卒于山中"。按文脊山位于今宁国市山门乡，此处冈峦起伏，广袤数十里，"中多平野"。民国《宁国县志》卷一一《人物志》谓瞿硎"魏之故将"，则知瞿硎当在后赵亡、中原乱之时南下的。这位瞿硎在文脊山从事什么经济活动？或者像河内轵县人郭文"入吴兴余杭大辟山中穷谷无人之地区，种菽麦，采竹叶木实，贸盐以自供"。[①] 或者像何琦那样以乡族组织为垦殖单位。或者像谢灵运役使奴客，凿山浚湖，伐木开径而垦辟田畴。史籍无证，也就无从考索了。不过，"瞿硎石室"现为宁国一方旅游名胜，第一个开发山门乡的当为东晋时代的瞿硎。

从何琦、瞿硎二例看来，至少说明两个问题。首先，南下人口避开沿江膏腴之地，逐空荒而居，不与当地土著发生经济利益的冲突。其次，北来侨民多种旱田，水稻耕作一时还未能适应。因此，他们多向江南的岗阜地区发展，种植麦菽。而皖南麦菽的引进和推广又促进了低山丘陵的开发。谢朓《赋贫民田》："黍稷缘高植，稻稌即卑盛"。[②] 即是这种情况的最好说明。

皖南山区。万山攒聚、川谷崎岖的新安郡，也有北方侨流进入。如程氏"伯符四十五世孙元谭，东晋初由东阿来守新安，居歙之黄墩，为程氏新安始迁祖"。[③] 北方鲍、黄、俞、戴、胡、闵、郑、余诸氏也于东晋南朝携子孙徙居新安。罗愿《新安志》卷八《叙仙释》："智琚姓李氏，其先居冀州赵郡，典午世东迁，遂为新安人。父玮仕梁为员外散骑常侍"。则知赵郡李氏亦有一支迁入新安。《晋书·地理志》记载新安郡户五千，《宋书·州郡志》记载

　　① 《晋书》卷九四《隐逸传》。
　　② 谢朓：《谢宣城诗集》卷三，四部丛刊本。
　　③ 王鹤鸣，等：《上海图书馆馆藏家谱提要》，上海古籍出版社 2000 年版，第 823 页。

新安郡户 12058，可见刘宋大明八年（464 年）比西晋太康元年（280 年）增加了 241%。论者咸谓，晋代北方大乱，迁入徽州的中原人士较多，徽州才真正进入较大规模的拓垦发展时期。

屯溪盆地是徽州地区最大的山间盆地，地平土沃，水利便通，易于开发。著名的鲍南堨（东晋咸和二年建）、吕堨（梁大通元年建）都是引丰乐水以资灌溉，保障了当地的农业生产正常进行。丰乐河流经岩寺镇。"吕湖在丰乐水之左，居镇东北隅。东距堨田，西至朱方，南据湖村，北底厚美，周环十余里。自湖蜃见毙于吉阳滩而湖淤。仍一水泓然，长注如练"。① 所云"湖蜃见毙于吉阳滩而湖淤"，指梁、陈之际的程灵洗（514—568）射杀吕湖蛟，此事极易使人联想晋人周处于荆溪斩蛟。罗愿《新安志》卷三《水源》："黄墩湖在县西南四十五里，阔二十余丈，长三百步，众水所潴。湖旧有蛟。湖侧居人程灵洗者，好勇善射。夜梦白衣道士告曰：吾数为吕湖蛟所困，明日当复来，君能见助，当有厚报。灵洗问：何以为识？道士曰：束白练者，我也。许之。旦日率里中少年鼓噪于湖上，倾之波涌，大声如雷，有二牛相奔触，其一肩白者甚困。灵洗射黑牛中之，俄而阴晦廓然，湖水皆变。明日有蛟死于吉阳滩下，吕湖由是渐塞"。古人迷信，认为山洪水灾都是蛟龙所为。程灵洗射杀蛟后，"吕湖由是渐塞"。明修《程朱阙里志》又说："自湖蜃见毙于忠壮公，而湖淤为沃壤"。② 如此，上引史料剔除怪诞不经成分，完全可以解释成程灵洗率领里中少年略湖为田，是可以成立的。因为湖田土壤肥沃，又接近水源，便于灌溉，有利于水稻高产。史言"程灵洗性好播殖，躬勤

---

① 佘华瑞：《岩镇志草·元集》，清抄本。

② 刘伯山：《徽州篁墩的三大姓及其文化遗存》，《徽学》第二卷，安徽大学出版社 2002 年版，第 69 页。

耕稼，至于水陆所宜，刈获早晚，虽老农不能及也"。① 也许，程灵洗有鉴于岩寺周围平川耕垦殆尽，才有开拓湖沼滩地，截湖泄水，开垦湖田的活动。

皖南人民的经济活动尚有渔业、狩猎业，这也是东晋南朝农民谋生的重要手段。② 从事捕鱼业主要在沿江水网地带。《元和郡县图志》卷二八《江南道》："池州……梁昭明太子以其水鱼美，故封其水为贵池。今城西枕此水"。反映这里以产鱼出名。从事狩猎业主要在山地丘陵。刘宋时宣城怀安人杨运长，"初为宣城郡吏，太守范晔解吏名。素善射，太宗初为皇子，出运长为射师"。③ 怀安县即今宁国市，境内多山，杨运长因为"善射"而充当吏役供官府驱使。笔者推测杨运长"素善射"，可能早年以打猎为生。

二

皖南农业生产的发展，为当时手工业和商业的发展提供了条件。先看手工业。

冶铸业。皖南矿产资源丰富，以铜、铁等金属矿产为主，先秦时期已为我国最重要的铜冶炼地区之一。汉代著名的"丹阳铜"集中在古南陵及其沿江周县，即今铜陵、南陵、繁昌、贵池等地。东晋南朝时期，梅根冶（今池州市贵池区东北）一直是江南两大冶铸基地之一（另一处在今湖北武昌东南）。梅根冶既能冶铜，又能炼铁。并且号称"钱溪"，以铸造钱币闻名于世。三国至隋唐，皖南沿江一带炼铁业颇为发达。各冶制造的器物，除兵器外，多为民间的生活用具与生产工具。当时重要的手工业，是由封建政

---

① 《陈书》卷一〇《程灵洗传》。
② 侯旭东：《东晋南朝小农经济补充形式初探》，《中国史研究》1996 年第 1 期。
③ 《宋书》卷九四《恩倖传》。

府掌管着的。官府作坊在自给之余，也常常出卖生产品，这本是汉代原有的办法。

砖瓦烧造业。乾隆《太平府志》卷一三《古迹志》："七矶官窑，在（芜湖）县北十五里。六朝都石头，于此烧造城砖，有窑基五，土人时掘地得砖"。1976 年在今马鞍山市区一座东晋砖室墓中出土"东晋孟府君墓志铭"。该墓志铭为印有粗绳纹的青灰砖，砖面经打磨后刻有志文，写有"泰元元年十二月十二日晋故平昌郡安丘县始兴相散骑常侍孟府君墓"。① 按泰元元年即东晋孝武帝太元元年（376 年）。这种粗绳纹的青灰砖，是否出自芜湖七矶官窑？姑存俟考。

麻织业。东晋南朝人平日衣着以布为主，当时所说的布，主要即指麻布。皖南历来是苎麻的重点产区，麻织业成为本区纺织业的特色。麻织品白苎布"质如轻云色如银"，② 制成衣袍轻爽透气，刘宋时沿江姑孰已盛产。到唐朝时候，皖南地区还以麻布为主要贡品。如新安郡贡苎布 15 端，宣城郡贡白苎布 10 匹。这些地方在南朝时，麻织业自然是发达的。

竹木器加工业。皖南山区竹木资源丰富。东晋末年，刘敬宣为宣城内史，"宣城多山县，郡旧立屯以供府郡费用。前人多发调工巧，造作器物"。③ "郡屯"即地方官府设置的手工作场，制造家具等器物。南齐永明年间，"歙令仲文秀，令民先输六尺簟，为沈约所劾"。④ （按齐永明八年至十年，沈约为御史中丞，所以有弹劾之事。道光《徽州府志》将歙令仲文秀放在梁代，恐有误。）细竹席称为簟，是富家的常用物品。东晋大士族太原王恭标榜"身无

① 姚迁，等：《六朝艺术》文物出版社 1981 年版，第 258 页。
② 《宋书》卷二二《乐志》。
③ 《宋书》卷四七《刘敬宣传》。
④ 道光《徽州府志》卷七《职官志》。

长物"，"长物"就是六尺簟。这种供人坐卧的细竹席，多来自民间手工业者之手。唐代，新安竹簟成为贡品。除此而外，皖南的麻纸生产也颇有名，是南方造纸业中心之一。这就为唐朝初期"纸中之王"宣纸的问世，奠定了基础。

其次考察商业。当时，郡县所在地是贸易的集中点。史言新安郡有"郡市"。集市一般设在县及县以上的城池内或城郊，是城乡商品交换的重要场所，内设邸店或店肆。交易的货物，主要是粮食绢布一类生活必需品及地方土特产品，竹木、樵苏、瓜果、蔬菜也是集市上的大宗商品。姑孰是淮南侨郡的治所，西北方向的采石矶又是自淮南进入江南的渡江津要。由于近在建康肘腋，梁代宰相徐勉的儿子在此只能买得"舄卤之地"。可知这里是官僚贵族的聚集地。我们知道，城市形成、发展与商业、手工业密切相关。《资治通鉴》卷九三晋成帝咸和二年十二月胡注："姑孰临江渚，舟船所凑，晋积盐米于此"。《太平寰宇记》卷一〇五《太平州》引《江源记》："姑浦口南岸立津关，讥行旅"。按《江源记》为唐以前古书，所言可信。加之本地又以产白苧布而著名，则姑孰一地，得交通之便，有利于商旅往来，物品集散，已经成为商业口岸。

贩运贸易是东晋南朝商业的一个特点。东晋刘胤领江州刺史，派属下"大殖财货，商贩百万。"[①] 其商船在长江往来穿梭，络绎不绝。《梁书》卷三三《张率传》说张率为新安太守，"遣家僮载米三千石还吴宅，既至，遂耗太半。率问其故，答曰：雀鼠耗也。率笑而言曰：壮哉雀鼠。竟不研问"。从新安郡至吴郡，一般循水路，经建德、桐庐、富阳至钱唐，再北上走运河古水道。张率家僮于路上"遂耗太半"，仅有三分之一的米运抵吴郡。也就是说，

---

① 《晋书》卷八一《刘胤传》。

大约二千石米可能作为商品进入沿途市场。又一位新安太守王实，"实从兄来郡，就求告。实与铜钱五十万，不听于郡及道散用。从兄密于郡市货，还都求利"。① 也是通过长途水运转贩，利用商品贸易的地区差价，牟取暴利。

东晋孝武帝时，"宣城人秦精常入武昌山中采茗……负茗而归"。② 我们认为，宣城人秦精经常出外采摘野生茶树，不只是为了自己饮用，更多的是一种商业行为。因为东晋以后，饮茶在南方蔚然成风。人们普遍采摘野生茶作为饮料，市场上也有了茶叶出售。《太平御览》卷八六七载："晋元帝时有老姥每旦擎一器茗，往市鬻之，市人竞买"。

三

皖南原本落后，经过东晋南朝的开发，沿江平原已接近江东开发最早和最富庶的三吴地区，融入了长三角（长江三角洲地区）。中部宣城郡经济发展水平虽低于三吴地区，但到南朝晚期号称"近畿大郡"，③ 达到中等程度。青弋江与句溪（今水阳江）是郡中两大交通干道，由南向北连接郡中各县，而在芜湖附近注入长江。安吴、泾县、宣城分布在青弋江流域，宁国、宛陵、浚道分布在句溪流域。地方上创建县级行政机构，大致表示该地开发已经达到一定标准。我们知道，泾县、宛陵、宣城都是汉旧县，安吴、宁国二县孙吴设置，浚道，东晋侨县。宣城情况有点特殊，虽是西汉旧县，但东汉撤销，孙吴又复置。从县邑建置的情况看来，青弋江、句溪流域自汉代以来已有开发，而不是进入东晋南

---

① 《南史》卷二三《王诞传附王实传》。
② 陶潜：《搜神后记》卷七，四库全书本。
③ 《梁书》卷五三《良吏传》。

朝才得到开发。但从这两条河川上的交通量不及吴会地区水道的
繁忙，可见物产不丰，地僻人稀。① 南朝时期，宣城郡还有因争讼
抛弃的"闲田"，② 这也自然比不上处于江南发展前列的吴会地区
的"膏腴上地，亩值一金"。再往南到新安郡，也仅仅是沿着新安
江水系的狭长盆地，山区一些旁溪近河的河谷平地（如歙县呈坎）
得到开发。广大的皖南山区开发未遍，深山密林，各种野生动物
随处可见。一些"山谷深邃、舟车莫通"的深险之区，常常成为
逃亡者的去处。总之，皖南地区的社会经济向广度和深度的进一
步发展，还有待于唐五代。③

原载《安徽师范大学学报》（人文社科版）2004 年第 4 期。

　　① 黄淑梅：《六朝太湖流域的发展》，台北联鸣文化有限公司 1982 年版，第
61 页。
　　② 《梁书》卷二一《王志传》。
　　③ 韩国磐：《唐代宣歙镇之雄富》，《江海学刊》1992 年第 3 期；张宪华：《唐五
代池州经济的发展》，《学术界》1993 年第 4 期。

唐末五代徽州移民与经济开发

徽州历史上发生过三次大规模的移民，史言以"晋宋两南渡及唐末避黄巢之乱，此三朝为最盛。"[1] 唐末五代阶段进入歙州的北方移民人数甚多，吴松弟教授说在江南仅次于苏、昇、杭三州，排名居第四位，[2] 移民来源地广泛，在中国其他地区也是极为罕见。学界目前的研究成果，除吴松弟、赵华富、斯波义信的研究比较深入外，一般均停留在概况的叙述，比如唐力行先生认为，唐末五代迁徽定居的有 24 族，其中近 20 族迁自唐末。关于此阶段迁徽的移民家族数字，唐氏似未详考。[3] 因此，本文从方志家谱中搜寻资料，将吴松弟教授关于唐末歙州移民的考察具体化，并且涉及经济开发。

——

唐末徽州移民（按时称歙州），最早见于记载是咸通七年（866 年）的孙万登。《休宁名族志》说："孙万登，本山东青州人。唐咸通五年任金吾上将军，同岭南道节度使康承训领师平蛮。

① 民国《歙县志》卷一《舆地志·风土》。
② 葛剑雄：《中国移民史》（第三册），福建人民出版社 1997 年版，第 277 页。
③ 唐力行：《明清以来徽州区域社会经济研究》，安徽大学出版社 1999 年版，第 74 页。

七年凯还，道经海宁，爱风土之胜，遂家黎阳乡之唐田而世居焉。"① 据说，黎阳在屯溪崛起前为皖南商业重镇，有"唐宋黎阳、明清屯溪"之称。孙万登家族占据地利，发展势头不错。"今坑口、草市、野山、阳湖、溪东、梅林、栈山、浯田、高桥、黄村、汉口皆出此派。"② 以后因避黄巢农民军的兵锋，迁入徽州渐多。广明元年（880年），陈禧、金博道家族溯新安江西上，从浙江桐庐进入休宁。同年，吕从庆、吕从善兄弟从金陵迁往歙县堨田。六朝老牌士族豫章罗氏也从江西迁居歙县呈坎等等。吕从庆在风尘仆仆的流亡途中写有《避乱》一诗，诗云：

> 海内风光半血污，杀人声过侣樵苏。
> 一身驱路忙如蚁，八口无家散若乌。
> 栗里无纵空怅望，桃源有梦失招呼。
> 饥来野店供飱饭，敢怨匙前脱粟粗。

吕从庆又有《行次歙州寓之》一诗，诗云：

> 乍入新安境，溪山觉可褒。
> 赁房安食具，扫榻印行绦。
> 明识离乡贱，强言避世高。
> 君听塗上客，多半说弓刀。③

这些诗篇，生动描绘了移民仓皇驱路、饥不择食的困窘，移民们付出离乡背井的代价，是为了寻找可以"避世"的桃花源。

唐末，池州人张蠙写有《途次绩溪先寄陈明府》一诗，诗云："入境风烟好，幽人不易传。新居多是客，旧隐半成仙。山断云冲

---

① 道光《休宁县志》卷二〇《民族》。
② 程尚宽：《新安名族志》，黄山书社2004年版，第485页。
③ 吕从庆：《丰溪存稿》，四库全书存目本。按吕从庆《丰溪存稿》虽有伪书嫌疑，但歙县吕氏是唐末移民，旌德吕氏从歙县迁出，应无疑问。

骑，溪长柳拂船。"① 我们推测此诗作于乾符、广明年间。因为张蠙是乾宁二年（895年）的登科进士，后终老于蜀。史言张蠙登第前，留滞长安，久困名场约十五年左右。总之，从"新居多是客"诗句来看，移民进入徽州是有一定规模的。

底下，参考《新安名族志》等多种资料，制成"唐末五代歙州六县移民表"。应当指出，有的家族在歙州仅作短暂逗留，黄巢乱后即"散之傍郡"，如韩氏（唐末自南阳徙黄墩，复迁饶州乐平）、齐氏、施氏等，不在本表统计范围内。又，本表限于篇幅，材料出处只取一种。

唐末五代歙州六县移民表（860—975）

始迁祖	迁徙时间	移出地	今省	移入地	材料出处
许　儒	唐末（1）	雍州	陕西	歙县许村	新安志/6
徐　攎	五代	北方		歙县徐村	名族志/610（2）
江仲容	五代	宣城	安徽	歙县岑山（3）	名族志/525
吕从善	唐末	金陵	江苏	歙县堨田	丰溪存稿
罗文昌 罗秋隐	五代	豫章	江西	歙县呈坎	名族志/549
江　郑	唐末	北方		歙县黄墩	名族志/522
毕师远	唐末	偃师	河南	歙县黄墩	名族志/624
盛　栋	唐末	汝南	河南	歙县黄墩	祁门氏族考（4）
王希羽	唐末	宣州	安徽	歙县王村	岩镇志草·元集
项　绍	五代	淳安	浙江	歙县小溪	名族志/543
葛　晋	唐末	句容	江苏	绩溪杨溪	名族志/705
周　垚	五代	庐州	安徽	绩溪周坑	名族志/497

---

① 陈贻焮：《增订注释全唐诗》（第四册），文化艺术出版社2001年版，第1317页。

续表

始迁祖	迁徙时间	移出地	今省	移入地	材料出处
夏元康	唐末	会稽	浙江	休宁南门	道光休宁县志/20（5）
叶尚或	五代	湖州	浙江	休宁县城	新安志补/7（6）
刘依仁	唐末	彭城	江苏	休宁县城	名族志/548
金尚八	唐末	京兆	陕西	休宁县城	新安志/7
赵思	唐末	陇西	甘肃	休宁龙泉	东山存稿附赵沩行状
曹尚贤	唐末	青州	山东	休宁曹村	名族志/565
陈禧	唐末	桐庐	浙江	休宁陈村	定宇集/15
金博道	唐末	桐庐	浙江	休宁汪溪	定宇集/2
张君宁	唐末	杭州	浙江	休宁抗溪	名族志/337
吴裕	唐末	苏州	江苏	休宁太溪	名族志395
吴妪	唐末	鄱阳	江西	休宁江潭	名族志/392
吴宗	唐末	饶州	江西	休宁长丰	名族志395
朱春	唐末	沛国	江苏	休宁首村	洛水集/11
姚鹓	唐末	？	陕西	休宁小贺	道光休宁县志/20
孙万登	唐末	青州	山东	休宁黎阳	名族志/485
戴安	五代	袁州	江西	休宁隆阜	戴氏家谱/1085右（7）
孙师睦	唐末	扬州	江苏	黟县北街	新安志/6
卢玄	唐末	太平	安徽	黟县卢村	黟北卢氏族谱/1069右
舒德舆	唐末	庐江	安徽	黟县屏山	舒氏统宗谱图/84
江卓	唐末	？	北方	黟县江村	黟县·济阳江氏宗谱卷首
周继忠	五代	道州	湖南	祁门县城	周氏宗谱/351左
王璧	唐末	杭州	浙江	祁门苦竹港	名族志/588
廖嵩	唐末	闽	福建	祁门鸟门	名族志/631
倪康民（8）	唐末	黄山		祁门伊坑	祁门倪氏族谱/500左
康新	唐末	会稽	浙江	祁门康村	祁门氏族考

续表

始迁祖	迁徙时间	移出地	今省	移入地	材料出处
胡　宅	唐末	黄墩		祁门贵溪	名族志/308
谢　铨	五代	金陵	江苏	祁门南乡	十国春秋/421（9）
李德鹏	五代	黄墩		祁门孚溪	名族志/362
朱　瑰	唐末	黄墩		婺源县城	名族志/442
周　口	唐末	黄墩		婺源县城	名族志/493
潘逢辰	唐末	三山	福建	婺源桃溪（10）	名族志/640
张　彻	唐末	吴郡	江苏	婺源甲路	星源甲道张氏宗谱/2（11）
李德鸾	五代	黄墩		婺源严田	名族志/361
江　洪	唐末	金陵	江苏	婺源谢坑	名族志/533
胡　学	唐末	黄墩		婺源清华	名族志/300
胡昌翼	唐末	？	北方	婺源考水	名族志/303
王希翔	唐末	宣州	安徽	婺源武口	名族志/580
江　董	唐末	黄墩		婺源旆坑（12）	新安肖江大统宗谱/158 右
游　愻	五代	青州	山东	婺源济溪	济溪游氏宗谱/853
何　溥	五代	颍阴	河南	婺源尚田源	名族志/670

说明：（1）本文界定的唐末上限指咸通元年（860 年），五代下限是宋灭南唐的开宝八年（975 年）。（2）新安名族志简称名族志，黄山书社 2004 年版，/号后为页数。（3）岑山与今歙县东南 15 里的岑山同名，但此处岑山在邑北十里，疑为古地名。（4）祁门县志氏族考一卷，民国三十三年排印本。（5）新安志、定宇集、道光休宁县志等古籍，/号后为卷数。（6）方信著，北京师范大学图书馆抄本。（7）所引家谱，见上海图书馆馆藏家谱提要，上海古籍出版社 2000 年版，/号后为页数。（8）倪氏先世为河北藁城人，安史之乱后南迁黄山，至孙康民又迁祁门西乡。见光绪《祁门倪氏族谱建本堂重修支谱序》。（9）十国春秋，中华书局 1983 年版，/号后为页数。（10）闽之三山即福建福州别称。桃溪即坑头村，村民多姓潘，今属婺源中云镇。（11）安徽师范大学皖南历史文化研究中心家谱复印本。（12）旆坑即占坑，今属婺源江湾镇。

二

　　以上列表统计，遗漏之处在所难免，但也可以看出其中大势。据上表可知，迁入歙县 10 例，休宁 16 例，绩溪 2 例，黟县 4 例、祁门 8 例、婺源 12 例。总计 52 例。若再细究，歙县 10 例之中：西乡 2 例、北乡 3 例、黄墩 3 例，南乡 2 例。休宁 16 例中：县城 4 例，邑西 1 例，邑东北 1 例，西南方向 10 例。祁门 8 例：县城 1 例，西乡 3 例，南乡 4 例。婺源 12 例：县城 2 例，西乡 3 例，东乡 4 例，北乡 3 例等等。

　　我们知道，徽州的歙县、休宁开发较早，尤其是歙县地平土沃的西乡丰乐水一带。① 唐末迁入此处的有 2 例。堨田位于西乡的核心区，大概由于生存空间窄小，容易与土著利益冲突。吕从庆不久迁去旌德，吕氏兄弟迁出一家。呈坎位于西乡边缘区，地旷人稀。"歙之呈坎，有田可耕，有水可渔，脉祖黄山，五星朝拱，可开百世不行之族。"② 罗氏兄弟携族定居当时空荒之地的呈坎，宋以后发展成前罗、后罗两支，宗族兴旺，也许是沾染黄山的灵气吧。歙县北乡沙溪，唐初沿富资水建有沙溪渡，为西乡、北乡往来要津。"唐时村南田畴开垦无多，临溪一带，人力疲劳。我族（凌姓）于唐光启间，相形势，兴水利，于小溪上流今郝村三坂桥地，筑堰濬渠，名曰皇呈，云者因皇富社之名而连及之荣君赐也。后五代南唐时，徐姓卜居朱吴村，因与共业，立有分水界石，至今犹在。"③ 这条材料说明南唐时期北方移民徐氏定居沙溪附近，

　　① 张宪华：《东晋南朝皖南的社会经济》，安徽师范大学学报（人文社科版），2004 年第 4 期。
　　② 赵华富：《徽州宗族研究》，安徽大学出版社 2004 年版，第 531 页。
　　③ 凌应秋：《沙溪集略》卷二《水利》，《中国地方志集成·乡镇志专辑》（第十七册），江苏古籍出版社 1992 年版。

与土著"共业"即共同开发的情况。

　　迁入休宁邑西 1 例，是陇西赵氏一支。十四世后出了硕儒赵汸，时当元末明初。值得注意是休宁邑西 15 公里的齐云山也有流民集团的聚居地。这些被称为"寇"的老百姓虽然没有资格收入《新安名族志》，但是他们的活动还是记载下来。明人鲁点《齐云山志》卷一《山水·独耸岩》说："宫西，高三百仞，周十五里，有洞深邃，可容数百人。峰顶有池，深莫测，常有金鲤出现。唐末宋初时有寇结寨团粮于上，玄帝降神火烧毁，诸寇潜遁灭迹，至今焦米犹存"。迁入休宁西南方向率水流域的移民计 10 例，占休宁移民数的 62.5%，值得我们探究。唐代率水流域尚是"山洞幽深、溪滩险峻"的半开发地区。率水横贯休宁西南部分，古名渐溪、浙溪，全长 148.2 公里，是新安江最大的支流。我们知道，溪口以上为率水上游，两岸山势陡峭，河谷窄深，仅通竹筏。移民家族有张君宁、李德鹏、吴妪、吴裕等。溪口至月潭一段为率水中游、地势相对平展，移民家族有陈禧、朱春等。月潭以下至屯溪为下游，两岸多为低山丘陵，颇具平阜之河气象。迁入家庭有姚郇等。陈氏迁徽始祖陈禧"唐僖宗时避广明之乱，自桐庐郡沂流而上，至新安郡休宁之西，曰藤溪里。爱其溪山之清奇，因家焉。其后子孙益蕃，一村无二姓。故人称是村曰陈村。府君之始迁也，泛宅浮家，托于渔钓，积德敦义，乡称善人。没葬于县之南地曰鬲山，岁益久，一方之民神之，乃创庙墓傍，尸而祝之。凡水旱必祷焉。东作不祀府君不敢兴，西成不祀府君不敢食。……若府君生无位于时，托为烟波之钓叟，没乃神于后，永为树艺之田祖，其亦灵异也已。"[①] 陈禧仅是一介布衣，死后得于建庙祭祀，"永为树艺之田祖"，显然在传播农业生产技术方面做

---

　　① 陈栎：《定宇集》卷一一《陈氏谱略》，文渊阁四库全书本。

出了贡献。据方志记载，陈禧庙明代犹存，反映出他在休宁南乡的久远影响。此外，黄墩程氏在程沄（忠壮公十四世孙）领导下，分迁休宁东南，一批分布在率水支流颜公溪方向，一批分布于新安江支流汊水方向，建立了宗族定居点。[①] 今天的会里、山斗、汊口等程姓村庄就是当时创建的。看来，五城、龙湾一带地势开阔，水利条件良好。程氏从黄墩老基地迁入新的发展空间，参加了率水流域的开发活动。

光绪《婺源县志》卷三《疆域·风俗》说："婺居徽饶间，山多田少。西南稍广衍，东北则多依大山之麓。"唐末移民多迁居东北山区，据上表统计，达到 7 例，占迁婺移民的 58.3%。例如，婺源旃坑，在邑东七十里。自江董携子迁入，婺源之肖江，分别在江湾、旃源和龙尾，发展成为巨族。人文昌盛，人才辈出。《读史方舆纪要》卷二八《徽州府·婺源县》芙蓉岭："宋初驿道，由县东百里中平寨，经大畈达休宁之黄茅，沿涧曲折，谷水暴发，则桥道皆坏。"这条驿道显然是方便移民出入以及开发东北山区而修筑。迁入婺源西乡计 3 例，甲路、严田、桃溪均位于西乡边缘地带。《星源甲道张氏宗谱》卷二《宋天圣癸亥序》云："新安号黄山，故衣冠家争奔趋之，而我张氏亦自吴郡而避地黄墩，散乱既平，迁徙四出，就其宽阔之野、涧敝之乡以定厥居焉。我始祖大三公讳彻遂卜居婺源之甲道。"光绪《婺源县志》卷四一《人物志·寓贤》："张彻，字克明，浙西人。黄巢之乱，避地歙之黄墩。巢平，卜居本邑甲道，专务种植，遂致素封。乐善好施，积而能散。"可见张彻不仅以开发经营致富，而且以儒家伦理体恤民艰。可以想见，许多张彻类型的移民家族，他们利用山麓的山塘，溪流的水源，小规模地、分散地进行农业开发。如果累加起来，其

---

① 程珌：《洺水集》卷一〇《程用之墓志铭》，文渊阁四库全书本。

土地开发的总量也不容小觑。

　　唐末以来，皖南发生多次战争，流寓境内的北方军人特别多。据记载，进入婺源的军人数目不少。当时婺源自为一军，不属于歙州管辖。《新安文献志》卷一八《婺源茶院朱氏世谱后序》："唐天祐中，陶雅为歙州刺史，初克婺源，乃命吾祖领兵三千戍之，是为制置茶院府君。卒葬连同，子孙因家焉"。道光《婺源县志》卷二《疆域志·沿革》："南唐昇元二年，以刘津为都制置使，巡辖婺源、浮梁、德兴、祁门四县，筑新城于西湖。时津领关西卒千五百人来镇，荒残之余，招募流徙，与其众杂耕，分诸校置营屯田五溪，曰武溪香田、思溪大田、漱溪车田、浮溪言田、古溪丰田，他如杨田、梅田、长田、罗田、冲田、仰田，凡以田名者，皆屯田之处。当时宇宙分裂，关西之卒既不得归，久留耕戍，许以见耕为永业，毋分兵民。"道光《婺源县志》卷三八《冢墓》："制置刘津墓。县治后山，有集福祠。城西之刘是其后也。"可知宋代大儒朱熹的祖先朱瑰领兵三千驻防婺源，朱瑰官职是制置茶院，使人联想婺源一地，"茶货实多。"其后，刘津又率关西军人一千五百人进入，并且"招募流徙"，又吸收了一批下层移民。"久留耕戍"云云，说明这些军人戍卒均转化为乡居农民，为当地开发提供了劳动人手。此中情形，颇像19世纪同光之际，湘军勇丁安插皖南，他们开垦自食，安居乐业，"几忘其为湖南人矣"。

　　迁入祁门南乡的移民计4例，其中之一的谢铨，仕南唐银青光禄大夫、金吾大将军，号称"金吾谢氏"。今祁门县乔山乡，位于祁门县城南面10公里，相传为谢铨之孙乔山居地得名。乔山村坐落于地势宽平、水流环绕的山间盆地，有山有水，有田有土，柴水方便，阡陌交通。尚保存南唐建筑单孔石拱桥三座遗址，透露出移民在此修桥筑路、经营开发的情景。

　　嘉庆《绩溪县志》卷一二《杂志·拾遗》："宋职方葛琳，扬溪人（按即杨溪，杨、扬古通用），与王荆公（王安石）相好。王尝语葛曰：仙乡产何佳品。葛曰：惟香白粲为佳。后荆公持节过焉。琳适游宦蜀中，荆公题诗溪上，诗云：桥横葛仙坡，住近杨雄宅。主人胡不归，为我炊香白。"东晋南朝以来，经过早期开发，徽州盛产一种早熟籼稻——桃花米，特征是谷粒微红，米粒正白，为饭香软。现在，唐末移民葛氏在迁入地杨溪生产出"香白粲"的上等白米，可能是米质黏性较强的粳稻。这条材料所说的虽是北宋仁宗时事，[①] 但水稻优良品种的形成并非一朝一夕之功，至少南唐时期即已出现，当无疑问。

北来移民不仅促进了徽州农业的开发，还带动了徽州工商业的发展。"文房四宝"制造业发轫于唐五代，最典型的例子是来自河北易州的奚超父子，利用黄山优质古松，创制出松烟佳墨。又，歙砚坚劲发墨，经过南唐二主的提倡，名满天下。今歙县博物馆藏插手"风"字形歙砚，五代时期制作，为歙砚早期珍品。此砚是否为唐末五代移民所制，姑存之待考。

唐代李肇在《唐国史补》中列举全国名酒产地11处，没有提到江南偏僻远郡的歙州。晚唐时酒禁松弛，恰在此时歙县出现了贡奉朝廷的地方名酒，我们推测亦与移民相关。《沙溪集略》卷四《文行》云："唐朝凌荣禄字子贵，禀性纯朴，言行无伪。一日遇异人于溪上，邀至家，以酒待之。异人欣然，授以酒方，指地凿井曰：汲此水，依方造之，其味自佳，使公与公之子孙富盛千万载，而名犹存焉。试之，果验。忆此异人乃吕仙也。唐光启元年以方进，蒙赐金帛而归。"《新安名族志》后卷《凌》："歙县沙溪，在邑北十里，歙州判安之十世孙曰荣禄，得异人授以酒方甚佳，光启初进于朝，赐金帛归，遂名里社为'皇富'"。我们认为，

---

①　方信：《新安志补》卷三《监司志补》："宋王安石，临川人，仁宗时提刑江东，行部过绩溪、祁门，并有题咏。"

不论是异人，抑或是仙人，总之不是本地人氏。正确地解释是外来酿酒高手向当地传授了先进酿酒技术。相传吕洞宾四海为家，常混迹酒肆，有"水化成酒"的传说。① 凌氏家族作坊假托吕仙酒方，进贡朝廷以获得政府承认，似乎是营求利润的商业广告行为。

马令《南唐书》卷二一《党与传》："冯延己，字中正，广陵人也，父令颎，事本郡为军吏，烈祖署为歙州盐铁院判官"。我们知道，盐铁院系征收商税机构。《吴地记》说唐代苏州"管县七，乡一百九十四，户一十四万三千二百六十一，两税茶盐酒等钱六十九万二千八百八十五贯七十六文。"徽州的税收当然不及江南最富实的苏州，但税收还是有的。南唐设立盐铁院，即为了征税。尤其像祁门、婺源这样全国首屈一指的产茶大县，"敦煌出土的《茶酒论》中也说'浮梁歙州（茶），万国来求'。"② 茶叶的通过税和交易税在数量上一定可观。实际上，歙州在唐人眼中被视为"富州"，主要是靠祁门、婺源两县之茶。

唐代歙州"地杂瓯骆，号为难理。"③ "吾歙在唐时，人尚视为畏途，卢仝所谓'千灾百怪天南道，猩猩鹦鹉皆人言'也。"④ 但在动荡时代，"士大夫挂冠远引，入山唯恐不深，各就所居，自成村落，一姓相传至千百年而不易，非故为畛域，盖山川形势使然。"⑤ 据学者研究，徽州古村落大多是移民形成的，晋唐时期为徽州古村落的创建期。播迁所至，荆棘初开，人皆古质，俗尚真淳，其卜筑山村，殆有人世桃源境界。⑥ 东晋咸康三年（337 年），胡焱从青州迁至绩溪龙川（今大坑口村），发现这里"东耸龙峰，

---

① 《吕祖志》卷二《水化成酒》，《道藏》，文物出版社 1988 年版。
② 唐长孺：《魏晋南北朝隋唐史三论》，武汉大学出版社 1993 年版，第 358 页。
③ 吕温：《崔公行状》，《全唐文》卷六三一，中华书局 1983 年版，第 6367 页。
④ 许承尧：《歙事闲谭》，黄山书社 2001 年版，第 29 页。
⑤ 胡光钊：《祁门县志氏族考》，民国三十三年排印本。
⑥ 陆林，等：《徽州古村落的演化过程及其机理》，《地理研究》2004 年第 5 期。

西峙鸡冠，南则天马奔腾而上，北则长溪蜿蜒而来"。遂携族定居，开启了龙川胡氏一脉。杨吴天祚二年（936年），项绍爰歙南小溪山川灵秀，于是建村定居。小溪村居住区背靠五峰，面临桂溪，山形似龙，水流三曲，故人称小溪村是一个聚宝盆．至少可以说，徽州古村落"枕山、环水、面屏"的空间布局，包含了唐末移民的影响。

<h1 style="text-align:center">三</h1>

总之，唐末五代是徽州从一个相对落后的边缘地区发展成为一个重要地方经济区域的转折时期。农业方面的开发向广度和深度进军，大批山间盆地开发出来，移民初至并创建了古村落。手工业方面在文具业上专业化制造出优势产品，形成了地方经济特色。商税的征收，亦折射出商品经济的进步。人口增加，从唐元和年间的16754户增长为宋初的51763户。州县等级上升，北宋元丰三年（1080年）歙州六县，其中五个望县，一个紧县，按照赤畿望紧上中下的标准，远超当时的沿江芜湖（时为中县）。有人说，南唐是江南地区社会发展的黄金时期之一，徽州堪称南唐的经济特区，地位尤为特殊。① 确实，唐五代是江南偏远地区及相对滞后地区发展的重要时期。比如明州（今宁波市），唐太和年间修筑的它山堰，对宁波地区的开发起了决定性的作用。吴越时期，宁波又得到海外交通及贸易的助益，发展迅速。温州西部山区，唐代进行了初步开发。"及唐末之乱，赋繁役重，民不堪命，流亡入山者愈多，则百落千村皆武陵之桃源矣。时藩镇纵横强辟朝官为佐，于是闽越有志之士挈家人入山，请于刺史，烈山导泉垦田，

---

① 何剑明：《南唐时期安徽区域经济发展论要》，《扬州大学学报》（人文社科版）2005年第1期。

均赋定界立户，始有义翔乡五都十二里，归仁乡三都六里之目"。①可见，温州山区与皖南山区经历着同样的历史开发趋势。我们知道，经济增长可能受不止一个因素的推动，交通的发展、地域分工的加强、劳动的密集都会促进经济的发展。但在唐末徽州，主要依赖于移民的推动，移民推动了徽州山区农业的开发，促进了社会活力与新因素的形成。

原载《安徽师范大学学报》（人文社科版）2006 年第 6 期。

---

① 李世众：《宋代东南山区的农业开发——以温州为例》[EB/OL]. [2006 - 8 - 31]. http://xinxueshu.blogchina.com/viewdiary.12778369.html.

唐五代池州经济的发展

　　唐代宗永泰元年（765 年）设池州，为宣歙镇的一个"支郡"，管辖秋浦、青阳、石埭、至德四县。值得注意的是，池州四县，除秋浦为隋县，其余三县都是唐代新置。县级机构的增置，指示出人口和经济的增长。自池州建置到南唐入宋（975 年），历时两百余年，池州的社会经济获得了长足的进步。下面从农业、手工业和商业三方面进行论述。

一

　　唐五代池州农业生产的发展，主要反映在水利事业的兴修和农田垦辟的扩大。关于水利兴修，史传不书，兹从地方志、古人诗文集钩稽如下：

　　（1）天宝年间，李太白往来池州，写下《游秋浦白笴陂》、《忆秋浦桃花旧游时窜夜郎》诗篇。白笴陂（今贵池苦竹阪）、桃花陂（今贵池尹家汇镇南）均是农功水利。①

　　（2）会昌年间，刺史李方玄在池州南郊修筑翠微堤，这一水利工程至明万历时重修，至今还在发挥效益。②

----

① 光绪《贵池县志》卷五《水利》。
② 嘉庆《重修一统志》卷一一八《池州府·堤堰》。

（3）唐末，梅村人民筑成"芒鞋堰，潴水灌田。"①

（4）五代时，西峰和尚在石埭"随地卓锡涌泉，便民灌溉。"② 这虽带有神话色彩，但折射出五代时开发皖南山区的史实。

池州山多田少，地势自南至北依次为山地、丘陵、平原，呈阶梯形分布。大体上是"七山一水二分田。"唐中叶后，傍江平原耒耜已满，中部的浅山丘陵也得到开发。于是土地垦辟转向深山区。据记载：九华山下的吴氏、柯氏都是唐代中叶迁移此地。清人周天度说："老田吴氏自唐时卜宅于此，聚族而居者千数百年矣。"诗云："烧畬田瘠土，得姓亦成村。地僻安居乐，风淳礼俗敦。清池环竹木，古社散鸡豚。""阅世兼唐宋，云礽自结邻。碓春香稻晚，"③ 这些诗句，生动描述了老田吴氏辛勤垦殖世代安居的情景。

贞元年间，高僧普愿挂锡南泉山，"埋谷刊木，以构禅宇，蓑笠饭牛，溷于牧童。斫山畬田，种食以饶。足不下南泉三十年矣。"④ 当时，九华山的佛教徒也在"开凿溪涧，尽成稻田。"⑤

这一时期，池州的山间小盆地大都开发出来，成为可耕地。上面提到的梅村，坐落在万山深处，"而兹村土地平旷，纵横十余里，多良田。"⑥ 筑成芒鞋堰后，可以拦蓄山间溪水，"灌田千余亩。"⑦ 梅村人"自此旱涝无虞，人享粒食。"⑧

《古今图书集成·职方典》卷八〇九《池州府古迹考》"桃

① 桂超万：《梅村山水记》，载《小方壶斋舆地丛钞》第四帙。

② 康熙《石埭县志》卷七《人物》。

③ 《昭代丛书》己集广编卷二九《九华日录》。

④ 《宋高僧传》卷一一《唐池州南泉院普愿传》，中华书局1987年版，第256页。

⑤ 《全唐文》卷六九四《九华山创建化城寺记》。

⑥ 桂超万：《梅村山水记》，载《小方壶斋舆地丛钞》第四帙。

⑦ 光绪重修《安徽通志》卷六五《河渠志·水利》。

⑧ 桂超万：《梅村山水记》，载《小方壶斋舆地丛钞》第四帙。

源"条:"桃源,在县西南四十里,水源深邃,人迹罕至。五季时人多避乱于此。"按桃源即今东至县马坑乡。唐末五代的动乱,使得北来的人们越过沿江平原,深入皖南腹地,开拓垦荒,改变了那里地广人稀的面貌,青阳县的南阳湾,是隋末左难当割据的猷州之境,唐天祐年间,李常侍出家为僧,筑卧龙庵隐居斯土。宋人陈岩《黄石溪》诗云:"平田千亩万山中,水脉高低处处通。黄石一溪三十里,暖风吹动稻花丛。"① 应该说,这种平田千亩、稻花飘香的景象并非南宋才有,唐末五代即已出现。

池州的经济作物发展很快。唐代,饮茶风习已在全国流行。池州人民因地制宜,种植茶树,茶叶生产已遍布丘陵山地。金地藏《送童子下山》有"添瓶涧底休招月,烹茗瓯中罢弄花"② 之句,殷文圭《和友人送衡尚书附池阳副车》写道:"金海珠韬乘月读,肉芝芽茗拨云收"。③ 又据唐人杨晔《膳夫经手录》:"蕲州茶、鄂州茶、至德茶,已上三处出处者,并方斤厚片,自陈蔡以北,幽并以南,人皆尚之。其济生收藏榷税,又倍于浮梁矣。"④ 浮梁(今江西景德镇市)是唐代最大的商品茶基地,每年出茶七百万驮,相当三四百万斤的产量。⑤ 上述三地的茶产量既倍于浮梁,那么除去蕲、鄂二州,至德一县的茶产量少说也达百万斤左右。茶叶自身消费有限,于是至德茶大量外销,成为池州出口的大宗商品。

另外还有桑叶的发展。乾隆《江南通志》卷三四《舆地志·古迹》池州府"桑拓门"条:"桑拓门在府城秀山门外,虎山之

---

① 《九华纪胜》卷一四,清道光元年刊本。
② 《全唐诗》卷八〇八,中华书局 1960 年版,第 9123 页。
③ 《全唐诗》卷七〇七,中华书局 1960 年版,第 8138 页。
④ 《十万卷楼丛书》三编,清光绪十八年刊本。
⑤ 牟发松:《唐代长江中游的经济与社会》,武汉大学出版社 1989 年版,第132 页。

东，北通鲭口，唐时城门名也。"石埭七里（今七里镇）也是一个山间小盆地，桂氏最早一支自东晋南渡，即居于此。康熙《石埭县志》卷一《古迹》说："桑林在东山下，桂氏所居也，植桑甚茂。"唐武宗会昌年间担任池州刺史的杜牧《题池州弄水亭》有"纡余带竹村，蚕乡足砧杵"之句，这些零星的记载，透露出当时蚕桑业的兴旺。

二

唐五代时期，池州的手工业也有明显的进步，其中代表性的部门有矿冶、铸钱、造纸业。

矿冶铸钱业。池州矿藏丰富，盛产铜铁。境内梅根冶，[①] 是南朝至隋唐时期著名的冶铸基地。开元年间置钱监，"梅根监并宛陵监，每岁共铸钱五万贯。"[②] 从而缓解了玄宗时代铜币紧张的状况。安史之乱后，梅根监作为江淮七监之一，每年铸钱量亦不低于七千贯。[③] 北宋初，又于池州置永丰监，"岁铸钱二十万贯"。[④] 官营铸钱的生产规模很大，居当时全国先进行列。

《新唐书·地理志》说池州土贡有铁，而宣、歙二州无铁贡。当时宣歙镇士兵使用一种强弩，射程较远，杀伤力颇强，"号天下精兵。"[⑤] 唐德宗兴元元年（784 年），宣、润弩手北上中原，曾迫使叛将李希烈仓皇撤围宁陵。杜牧《题池州弄水亭》诗："乡校富

---

① 裴士京《"梅根冶"考辨》认为梅根冶改属贵池最早在五代十国时或更晚（载《东南文化》1990 年 1、2 合期）。据《十国春秋》卷八四《罗隐传》："（罗隐）初寓池州梅根浦，刺史窦潏营墅居之。"可知梅根冶改属池州当在唐代。

② 李吉甫：《元和郡县志》，中华书局 1983 年版，第 682 页。

③ 《旧唐书》卷一二九《韩洄传》。

④ 《宋朝史实类苑》卷二一《官政治绩》，上海古籍出版社 1981 年版。

⑤ 《玉海》卷一五〇，清光绪九年浙江书局刊本。

华礼，征行产强弩"，① 表明这种强弩由池州军械作坊制造。根据近年来的考古材料，青阳、贵池、铜陵等地发现了大批古矿冶遗址，皖南地区早在西周时期已经开始铜矿的采冶。由此可见，池州矿冶业的发达，是有一定的渊源的。

造纸业。皖南是唐五代造纸中心，宣、池、歙三州都有纸贡。从北宋文人的诗文集里，反映出池纸质量很好。王安石称赞池纸"霜纨夺色贾不售，虹玉丧气山无辉。"② 可见池纸之洁白，当受益于山间清泉。苏轼也说池纸宜墨，号称"精白玉版"。③ 澄心堂纸是南唐李氏由御府监造的精致纸张，它在五代和北宋享有很高的声誉。宋代书法家米芾、蔡襄都认为澄心堂纸是池州所出。米芾特别指出："今人以歙为澄心，可笑。……古澄心以水洗浸一夕，明日铺于车上晒干，浆硾已去，纸复元性，乃今池纸也。特捣得细无筋耳。古澄心有一品薄者，最宜背书，台藤背书滑无毛，天下第一余莫及。"④

唐五代时期，江南的商品经济是比较繁荣的，池州也是如此，首先，在州县治所，不仅存在着传统的市肆贸易，还出现了鱼市、菜市。《稽神录》卷三记池阳人胡澄"偶至市，见列肆卖首饰者。"指的就是这些坐贾铺户。《太平广记》卷四七三《池州民》条："池州民杨氏以卖鲊为业，尝烹鲤鱼十头，令儿守之。"又据陶谷收集唐五代语词典故人书的《清异录》记载："时戢为青阳丞，洁己勤民，肉味不给，日市豆腐数个，邑人呼豆腐为小宰羊。"我们可以察知，杨氏既是鱼类加工的手工业者，同时又是商人。他的

---

① 《全唐诗》卷五二〇，中华书局 1960 年版，第 5947 页。
② 《临川先生文集》卷一一《次韵酬微之赠池纸并诗》，中华书局 1959 年版，第 168 页。
③ 《东坡志林》卷一〇，明万历商濬稗海本。
④ 《书史》，载《百川学海》乙集。

鱼店与鱼市紧密联系。青阳的菜市供应着豆腐、肉等日常用品，甚至连县政府官员都仰仗它。可见菜市在城市经济生活上极为重要。

　　其次，我们看到，在州县城郊、水陆要道上逐渐形成了一些"草市"，成为当地的工商业中心和与外地交流的窗口。当时，建德（五代时至德析分建德、东流二县）郊外的卖花楼，专门制作一种工艺品——"花簇"，为酒席宴会服务。丹阳、浔阳、鄱阳诸郡置酒会，多至此市花。故谚云："江南茶饭，建德先知。"① 池口地处秋浦水、长江的汇集点，向称水道要冲。唐末寓居皖南的罗隐《寄进士卢休》说："半年池口恨萍蓬"，② 已隐约地道出池口市镇的出现。池口附近的百牙山，山下落蓬湾，"相传货舟辏泊于此，牙行百人登陇以平其直。"③ 因名白牙山。可以想见，河埠既停泊连樯的商船，河岸必有栉比的店铺。周怀宇《唐代皖江水运与商业贸易》一文指出，唐代"皖江地处东西之间，商业运输空前繁荣"。④ 北宋熙宁十年（1077 年），池口镇全年商税 13386 贯，超过了州治所在地（4851 贯）。⑤ 这么一个相当规模的市镇在北宋中期崛起，当由唐五代池口"草市"发展而来。九华山这座佛教丛林自金地藏成佛以来，四方进香之人络绎不绝，"而僧为驵侩，佛壤为市，翠微犁为田，涧水蓄为沟矣。"⑥ 明代青阳知县蔡立身也说："山门经商，远集珍品，毕致肴食，甲于官府。凡城市所无，常从僧人售得之。"⑦ 这虽为后人所记，但其中的情况必由来

① 《古今图书集成·职方典》卷八〇九《池州府古迹考》。
② 《全唐诗》卷六五八，中华书局 1960 年版，第 7559 页。
③ 《读史方舆纪要》卷二七《江南池州府》。
④ 载《安徽师范大学学报》1992 年 2 期。
⑤ 《宋会要辑稿》食货一六，商税。
⑥ 《九华纪胜》卷三，清道光元年刊本。
⑦ 光绪《青阳县志》卷一二《九华山供应议》。

已久。从唐末道士赵知微植桃千株，"乡人于涧下获桃以鬻"① 来看，唐五代九华山中存在一个"山市"，应属无疑。

综上所述，唐五代是池州经济大发展的时期。随着经济实力的上升，唐武宗会昌四年（844年），池州升格成上等州。五代时，池州被誉为"青阳名郡，控制中流，"② 昔日"地偏且远，不为世所称"③ 的局面大大改观，并为以后的进一步发展奠定了基础。

原载《学术界》1993年第4期。

---

① 民国《九华山志》卷二《浮桃涧》条。
② 《全唐文》卷八八〇《抚州刺史周宏祚可池州刺史制》。
③ 刘禹锡长庆四年（824年）语，载《刘梦得文集》卷八《〈九华山歌〉并引》。又据卞孝萱《刘禹锡年谱》，中华书局1963年版，第121页。

第三篇　皖江文献研究

何尚之年谱稿

元嘉名臣何尚之（382—460），字彦德，庐江灊人（今安徽霍山县东北）。主要活动在晋宋时期。尚之是元嘉宰相之一，对于促成东晋南朝相对安定的一个小康时期——"元嘉之治"颇具功劳。史言"尚之清忠贞固，历事唯允"。又言"立身简约，车服率素，妻亡不娶，又无姬妾。秉衡当朝，畏远权柄，亲戚故旧，一无荐举，既以致怨，亦以此见称"（《宋书·何尚之传》）。考察尚之为人处世，既不像颜延之嗜酒放诞，也不像范晔恃才傲物；既不像王敬弘不省文案，也不像庾炳之营私舞弊。虽然在仕途上固位"巧宦"，比较圆滑，但基本上是一个勤于吏事而且"识治"的高级官吏。《宋书》卷六六为之立传，但大多纪年不详，难见全貌。现以《宋书》本传为纲，参补古今以来有关资料，并加整理，撰《何尚之年谱稿》一篇。缺误之处，请读者指正。

东晋孝武帝太元七年（382年），尚之生，1岁

曾祖何准，晋司空何充弟，高尚不仕。祖恢，南康太守。父叔度，晋宋之际为都官尚书、吴郡太守。尚之为长子，有弟述之、悠之、愉之、翌之。据《刘袭墓志》，愉之字彦和，女宪英适刘宋宗室。[①] 按此条可补《宋书》之缺。

---

① 陶宗仪：《古刻丛钞》（孙星衍重编），丛书集成初编本。

《宋书·何尚之传》云年七十九，《南史·何尚之传》、《梁书·何胤传》又有年七十二说，今从《宋书》。是年，谢安六十三岁，范泰二十八岁，竺道生二十八岁，刘裕二十岁，陶潜十八岁，裴松之十一岁，王弘四岁。

东晋安帝隆安二年（398 年），17 岁

"尚之少时颇轻薄，好摴蒱之戏，既长折节蹈道，以操立见称"。（《宋书·何尚之传》，以下不注出处即为《宋书》本传）按摴蒱之戏，风靡当时，史言刘裕、王弘等人都参与摴蒱的赌博活动。何尚之当时在少年时期，风华正茂；又是门第中人，沾染习气，在所难免。是年，范晔生。

隆安三年（399 年），18 岁

"为陈郡谢混所知，与之游处"。谢安孙谢混在东晋末高门甲族中最负盛名，是陈郡谢氏的宗族领袖。据《宋书·谢弘微传》，尚之似曾参加谢氏家族的乌衣之游。

十一月，孙恩起兵陷会稽，三吴骚动。

隆安四年（400 年），19 岁

六月，以琅玡王师何澄为尚书左仆射。何澄，尚之叔祖。何澄在桓玄专权时受到排挤，值得注意。

元兴元年（402 年），21 岁

三月，孙恩起义军失败。桓玄入建康，政自己出，改元大亨。

元兴三年（404 年），23 岁

二月，刘裕与一批北府旧将起兵诛桓玄，安帝复位。

是年，尚之姑祖晋穆帝何皇后卒，"年六十六"。（《晋书·后妃传》）

义熙五年（409 年），28 岁

父叔度为都官尚书。叔度"恭谨有行业，太保王弘称其清身洁己"。按都官尚书，隋唐时为刑部尚书。

义熙六年（410 年），29 岁

"家贫，起为临津令"。东晋南朝，士族子弟一般均在二十岁左右入仕。通常"起家"职务是从属吏做起；或为台省中的郎、侍郎，或为王公府中的参军、行参军。尚之因为家贫，起家为县令。而且入仕年龄偏大，恐由东晋末年政局动荡有关。比如琅玡颜延之于义熙十一年，三十二岁始入仕。（缪钺《颜延之年谱》）北地傅隆"义熙初，年四十，始为孟昶建威参军。"（《宋书·傅隆传》）清严可均《全宋文》卷二八《作者小传》："何尚之，义熙中为临津令。"（临津县在今江苏溧阳县）暂系于此，以迨后证。

义熙八年（412 年），31 岁

九月，尚书仆射谢混因党附刘毅，被刘裕处死。

义熙九年（413 年），32 岁

次子何偃生。按，尚之长子情况不详。除何偃外，又有二子（铄、旷）、① 二女。一女适南阳刘湛子黯；一女适琅玡王景文（王彧），王景文出身于琅玡王氏中地位最高的王导后裔。笔者曾撰文指出，庐江何氏和琅玡王氏、陈郡谢氏等一流侨姓高门属于互相通婚的集团。就婚姻而言，何氏可谓"家本甲族，亲姻多贵仕。"②

义熙十二年（416 年），35 岁

八月，刘裕伐后秦，于翌年九月至长安。当时刘裕借北伐立功名，以便"造宋"。尚之参加是役，"从征长安，以公事免，还都。因患劳疾积年，饮妇人乳，乃得差。以从征之劳，赐爵都乡侯"。

宋武帝永初元年（420 年），39 岁

六月，刘裕（宋武帝）代晋建宋。

---

① 《世说人名谱·庐江何氏谱》："（何）搏，尚之子太中大夫"。见《世说新语》，上海古籍出版社 1982 年版，第 857 页。何搏又见《南史》、《梁书》，但未确指为尚之子，姑存之俟考。

② 张宪华：《东晋南朝时期庐江何氏研究》，《安徽史学》1993 年第 4 期。

永初三年（422 年），41 岁

五月，刘裕卒。少帝即位，时年十七。

宋少帝景平元年（423 年），42 岁

在历阳，为庐陵王义真车骑谘议参军。"义真至历阳，多所求索，执政每裁量不尽与；义真深怨之，数有不平之言，又表求还都，谘议参军庐江何尚之屡谏，不听"。（《资治通鉴》卷一二〇）按《资治通鉴》系此事于元嘉元年，是为了叙述庐陵王义真被废之由。

景平二年即宋文帝元嘉元年（424 年），43 岁

"义真被废，入为中书侍郎。太祖即位，出为临川内史。"义真被废在景平二年二月。（《宋书·少帝纪》）五月，徐羡之等废少帝。八月，宋文帝即位，改元元嘉。可知尚之任中书侍郎，大概只有半年。八月后，离京赴任临川郡。

元嘉六年（429 年），48 岁

"入为黄门侍郎。尚书吏部郎，左卫将军"。是年，尚书仆射王弘主持八座丞郎会议，讨论同伍犯法，士族应否连坐的问题。吏部郎何尚之参加会议并发言，李天石同志考证这一会议当在是年初至六七月间，① 则尚之入为黄门侍郎或在元嘉五年。按，吏部郎一职，清显且有实权，特受重视。左卫将军又是禁卫军高级武官。"武位虽非高门所乐，然以文职清望官帖领之，则互相配合，最为美授"。②

元嘉八年（431 年），50 岁

父叔度卒于吴郡，尚之丁忧去官。自东晋何充以来，庐江何氏这一支葬地在吴郡西山。见宋范成大《吴郡志》卷九《古迹》："般若台，在吴县西二里，晋穆侯何准舍宅置。东北角有般若桥，时人呼作朱明寺桥是也"。或者何氏旧墓在此处欤？

---

① 李天石：《试论南朝奴客的身份问题》，《南京晓庄学院学报》2001 年第 3 期。

② 周一良：《魏晋南北朝史论集》，北京大学出版社 1997 年版，第 124 页。

元嘉九年（432 年），51 岁

五月，王弘卒，年五十四。王弘辅佐宋文帝治国，留心庶事，洞悉朝局。"弘既多疾，且每事推谦，自是内外众务，一断之义康"。（《宋书·武二王·彭城王刘义康传》）笔者认为，王弘的思想、行为对尚之影响颇大。是年，彭城王义康兼领扬州刺史，总录尚书事。

元嘉十年（433 年），52 岁

"服阕，复为左卫，领太子中庶子"。《太平御览》卷七〇二引《宋元嘉十年起居注》："御史中丞荀伯子奏左卫将军何尚之公事每罩笠，有亏体制。建野笠于公门，弃华缴而不御"。则知尚之服除在该年。

是年，谢灵运被杀，年四十九。

元嘉十一年（434 年），53 岁

孙何求生。（《南齐书·何求传》）

是年，竺道生卒。竺道生创顿悟成佛说，主要谓众生悉有佛性，一悟即得的修行方法。在顿悟、渐悟问题上，何尚之倾向于顿悟义。

元嘉十二年（435 年），54 岁

迁侍中。"尚之雅好文义，从容赏会，甚为太祖所知"。是年，尚之对文帝议论佛教说："释氏之化，无所不可，适道固自教源，济俗亦为要务。窃寻此说，有契理要。若使家家奉戒，则罪息刑清，陛下所谓坐致太平，诚如圣旨。"[①] 这就是说，臣民皈依佛教将导致道德的普遍提高，犯罪减少，刑罚废除，逐步进入太平盛世。这是佛教巩固封建统治的实际价值。所以宋文帝很欣赏尚之的话，明白了利用佛教，"神道助教"，是一种政治支持资源。

---

① 《广弘明集》卷一《宋文帝集朝宰论佛教》。

元嘉十三年（436 年），55 岁

为丹阳尹。"彭城王义康欲以司徒左长史刘斌为丹阳尹，上不许，乃以尚之为尹。"表明文帝开始扼制刘义康集团的扩张，也表明尚之成为文帝的心腹大臣。

元嘉十四年（437 年），56 岁

孙何点生。①

元嘉十五年（438 年），57 岁

宋立四学，尚之主持玄学馆。史学以何承天、文学以谢元、儒学以雷次宗教授。《南史·宋文帝纪》载玄、史、文三学，立于元嘉十六年。今从元嘉十五年说。（刘汝霖《东晋南北朝学术编年》）

元嘉十六年（439 年），58 岁

刘湛排挤尚之为祠部尚书。"（尚之）女适刘湛子黯，而湛与尚之意好不笃。湛欲领丹阳，乃徙尚之为祠部尚书、领国子祭酒。尚之甚不平。"清万斯同《宋将相大臣年表》系领军将军刘湛兼丹阳尹于元嘉十六年。按刘湛其人，虽有才干，但极具政治野心。②刘湛于元嘉八年入朝，与殷景仁同辅政。为了排毁殷景仁独当时务，刘湛深结于专秉朝权的彭城王刘义康，"无复人臣之礼，上稍不能平"。（《宋书·刘湛传》）于是，宋文帝与刘义康之间矛盾公开化。

元嘉十七年（440 年），59 岁

迁吏部尚书。十月，文帝诛、徙刘湛及其同党十四人，将彭城王刘义康贬至江州。文帝清洗刘义康系统，尚之其时的表现史无明载，但从处理刘义康集团后升迁吏部尚书，掌管人事大权，而不再是祠部尚书、国子祭酒之类"冷官"，仍可窥见蛛丝马迹。

元嘉十九年（442 年），61 岁

正月，下诏建国子学，任命吏部尚书何尚之领国子祭酒，何

---

① 许福谦：《〈南齐书〉纪传疑年录》，《首都师范大学学报》1998 年第 1 期。
② 张金龙：《元嘉中期君相之争与禁卫军权》，《社会科学战线》2003 年第 5 期。

承天、裴松之等兼国子博士。吕思勉先生指出："太祖诏建国学，事在元嘉十九年正月，是年十二月，诏言胄子始集，学业方兴，亦见纪。何承天传亦云，是年立国子学，以本官领国子博士；而《礼志》谓立学在二十年，盖师生集于十九年末，礼成于其翼年也。"①

元嘉二十一年（444年），63岁

二月，吏部尚书何尚之为中书令，兼中护军。

是年，江淹生。

元嘉二十二年（445年），64岁

七月，中书令何尚之为尚书右仆射，解中护军。

十二月，太子詹事范晔下狱死。范晔曾撰《和香方》，借各种香料和药材之名，于满朝权贵，遍加讽刺。其中以"零藿虚燥，比何尚之"。（《宋书·范晔传》）零藿即霍香，见《太平御览》卷九八二《霍香》条。范晔临终前说："寄语何仆射，天下决无佛鬼。若有灵，自当相报"。（《宋书·范晔传》）

"是岁造玄武湖，上欲于湖中立方丈、蓬莱、瀛洲三神山，尚之固谏乃止"。

元嘉二十三年（446年），65岁

孙何胤生。② 字子季，出继叔父旷。（《南史·何尚之传》）何胤是齐梁时期的大学者，兼通儒释。极受梁武帝的尊重，以特进征不起。

元嘉二十四年（447年），66岁

六月，文帝与尚之等议货币。当时通行的钱币种类太多，比价不一。为解决钱币轻重大小不同而引起的盗铸问题，文帝采纳录尚书江夏王刘义恭的建议，以一大钱（指古钱）当两小钱。尚之反对说："凡创制改法，宜从民情，未有违众矫物而可久也"。

---

① 吕思勉：《两晋南北朝史》，上海古籍出版社1983年版，第1338页。

② 许福谦：《〈南齐书〉纪传疑年录》，《首都师范大学学报》1998年第1期。

明年五月，以公私非便，废除此法。

元嘉二十五年（448 年），67 岁

九月，尚书右仆射何尚之迁尚书左仆射。

是年，何尚之检举揭发吏部尚书庾炳之卖官索贿，"历观古今，未有众过藉藉，受货数百万，更得高官厚禄如炳之者也。"（《资治通鉴》卷一二五）据理力争，不依不饶，文帝只得罢免庾氏的职务。按，尚之的检举监督，类似于今天的监察、纪检等部门官员的工作。

元嘉二十六年（449 年），68 岁

《南齐书·沈麟士传》："宋元嘉末，文帝令尚书仆射何尚之抄撰《五经》，访举学士，县以麟士应选。"这可能是尚之主持的编书活动，考虑到二十七年大举北伐，以军兴减百官俸禄，并罢国子学。二十八年尚之迁尚书令，姑识于此。

元嘉二十七年（450 年），69 岁

二月，北魏南侵。

七月，宋军分水陆数路北伐。又以兵力不足，尚之建议："发南兖州三五民丁。……符到十日装束。缘江五郡集广陵，缘淮三郡集盱眙。"（《宋书·索虏传》）就是在寒门庶族、自耕农中三丁抽一，五丁抽二，替政府服兵役抵御魏军。

十二月，魏太武帝临江至瓜步，建康震动。次年春，魏军退。"南朝经此空前浩劫，国力是大大地削弱下来了"。①

元嘉二十八年（451 年），70 岁

五月，尚书左仆射何尚之迁尚书令，太子詹事徐湛之为尚书仆射、护军将军。"尚之以湛之国戚，任遇隆重，每事推之。诏湛之与尚之并受辞诉。尚之虽为令，而朝事悉归湛之。"（《资治通

---

① 王仲荦：《魏晋南北朝史》，上海人民出版社 1980 年版，第 389 页。

鉴》卷一二六）唐朝卢怀慎与姚崇同为相，自以才不及崇，每事推之，时人谓之"伴食宰相"。尚之情况与卢怀慎不同，显然有意为之，师法王弘，小心畏祸，所以躲过元嘉三十年的元凶之劫。是年，裴松之卒，范云生。

元嘉二十九年（452 年），71 岁

五月，尚书令何尚之致仕。

六月，复起任尚书令。"是时复遣军北伐，资给戎旅，悉以委之"。据《宋书·何偃传》，何偃谏二十九年之役："边民流散，多未附业。控引所资，取给根本。亏根本以殉边患……"从此亦可推知尚之对北伐的态度。吕思勉先生说："自景平之初，至于元嘉之末，宋魏战争，历三十年，宋多败衄，北强南弱之形势，由此遂成，此实关系南北朝百六十年之大局，非徒一时之得失也。"①是年，陶弘景生。

元嘉三十年（453 年），72 岁

二月，太子刘劭发动宫廷政变，弑文帝自立。尚之进位司空，何偃迁侍中。"父子并处权要，时为寒心，而尚之及偃善摄机宜，曲得时誉。会世祖即位，任遇无改"。（《宋书·何偃传》）

五月，孝武帝定京邑，诛刘劭。"帝以尚之、偃素有令誉，且居劭朝用智将迎，时有全脱，故特免之。复以尚之为尚书令，偃为大司马长史"（《资治通鉴》卷一二七）。

宋孝武帝孝建元年（454 年），73 岁

正月，以尚书令何尚之为左光禄大夫、护军将军。

九月，解护军将军，又以本官领尚书令。是年，分荆、湘等置郢州，治所应在何地。江夏王刘义恭主巴陵，尚之举出充分理由，论证夏口（今湖北武汉市）当江、汉之会，军事、交通地位

① 吕思勉：《两晋南北朝史》，上海古籍出版社 1983 年版，第 390 页。

重要，认为宜在夏口。"上从其议"。《宋书·羊玄保传》："玄保既善棋，而何尚之亦雅好棋。吴郡褚胤，年七岁，入高品。及长，冠绝当时。胤父荣期与臧质同逆，胤应从诛。何尚之请曰：'胤弈棋之妙，超古冠今。魏犨犯令，以才获免。父戮子宥，其例甚多。特乞与其微命，使异术不绝。'不许。时人痛惜之"。此例反映尚之爱惜人才。

孝建二年（455年），74岁

十月，尚之解尚书令，为侍中、左光禄大夫。

孝建三年（456年），75岁

正月，纳右卫将军何瑀女为太子妃。何瑀，何澄的曾孙。

八月，颜延之卒，年七十三。颜延之，江左著名文学家，与谢灵运齐名。"尚之爱尚文义，老而不休。与太常颜延之少相好狎，二人并短小，尚之常谓延之为猨，延之目尚之为猴。同游太子西池，延之问路人云：'吾二人谁似猴?'路人指尚之为似。延之喜笑，路人曰：'彼似猴耳，君乃真猴'"。（《南史·何尚之传》）

大明二年（458年），77岁

五月，何偃卒，年四十六。偃仕至吏部尚书。子戢，尚孝武帝长女山阴公主。何偃著述多种，涉及经、子、集部。（聂崇岐《补宋书艺文志》）六月，左光禄大夫何尚之加开府仪同三司。按，开府仪同三司，官居一品，但无实权。这是孝武帝尊崇尚之等老臣的虚衔。

大明三年（459年），78岁

三月，中书令庐江王祎为护军将军，尚之复以本官领中书令。周一良先生说："南渡之初，中书令尚为重任。此种情况至宋以后而改变，'中令清简无事'，至六朝末皆然"。① 可见，晚年尚之不

---

① 周一良：《魏晋南北朝史札记》，中华书局1985年版，第145页。

过是政治上的摆设。

大明四年（460 年），79 岁

七月，中书令、左光禄大夫、开府仪同三司何尚之卒，赠司空，谥简穆公。按谥法：正直无邪曰简，布德执义曰穆。这个复字谥可谓尚之一生立身行事的官方评价。附带说说尚之的经济状况。"尚之宅在南涧寺侧"，建康东郊方山又有"山田"。窃认为，尚之与颜延之、羊玄保应属于同一类型的士族，"不营财利，处家俭薄"。（《宋书·羊玄保传》）主要以官俸为生，所谓"悉资俸禄而食"。① 我们知道，南朝官俸包括吃、穿、用、仆役等等，高级官员的生活极为富裕。而且尚之敬信佛教，是一位虔诚的佛教徒。建立塔寺，开展法事（如八关斋），这自然也是一笔颇大的开销。《高僧传》卷一一《释志道传》："释志道，学通三藏，尤长律品。何尚之钦德致礼，请居所造法轮寺"。《南史·何尚之传》载何胤有书云："田畴馆宇悉奉众僧，书经并归从弟敬容"。反映出庐江何氏的佞佛门风。

附　庐江何氏世系表

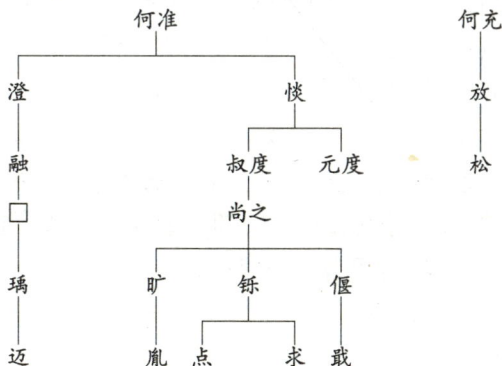

```
            何准                          何充
     ┌───────┴───────┐                     │
     澄             悐                      放
     │         ┌─────┴─────┐                │
     融       叔度        元度              松
     │              │
     □            尚之
     │       ┌──────┼──────┐
     瑀      旷    铄    倕
     │     ┌──┬────┴──┬──┐
     迈    胤  点    求  戢
```

原载《敦煌学辑刊》2005 年第 2 期。

---

① 唐长孺：《魏晋南北朝隋唐史三论》，武汉大学出版社 1993 年版，第 109 页。

芜湖沈士柱年谱

　　芜湖名人沈士柱生活于明末清初，在明末，他是人才济济的复社名士，在清初，他是铁骨铮铮的抗清志士。本文考察沈士柱一生交游、活动，整理芜湖地方的文献，对于皖江地区历史文化的研究具有意义。

　　沈士柱生活于明清之际的动荡时代。他一生从事政治活动，所结交皆当世豪杰。由于触犯清廷而死，所著诗集散佚，生平事迹湮没。笔者钩稽有关资料，① 撰成此篇，希望得到方家指教。

　　明万历三十四年（1606 年）　沈士柱生，一岁。有同志据钱澄之《寄怀惕庵五十》诗考证出士柱的生年，从之。（《芜湖日报》2002 年 12 月 4 日）士柱字昆铜，号惕庵，又别字寄公。南京太平府芜湖县人，父沈希韶，母张氏，有一弟士尊，字天士。

　　天启二年（1622 年）　十七岁。沈希韶考中进士。光绪《宣城县志》卷二六《寓士》："沈希韶，字青屿，芜湖人。令新昌，豫章名流，延揽殆尽，循声著甚，擢南御史。未遇时来宛，与钱宏谟、殷之辂、唐一灏同研席者数年，四人俱得隽，里人侈谭之。希韶子士柱，与宛中诸子结会敬亭，勤相过从云"。

　　天启三年（1623 年）　十八岁。沈希韶为江西新昌知县，士柱随父宦游江西。屈大均《明四朝成仁录》卷一二："士柱童子时

---

① 赵俪生先生说："遗民之事，甚难钩稽"。载《赵俪生史学论著自选集》，山东大学出版社 1996 年版，第 301 页。

性聪敏，读书十行俱下。师事南昌万茂先，为诗及古文辞，诸老生皆以为弗过也，与人交恂恂若不见所能，酒后议论风发，往往屈其座人，听者忘倦"。万时华，字茂先，"工诗古文词，负海内重名几四十年"。① 为当时知名学者，著《溉园文集》、《溉园诗集》，清代列为禁书。又著《诗经偶笺》十三卷，收入《四库全书存目》。

天启四年（1624 年）　十九岁。张溥、张采在苏州倡办应社，为复社的前身。时人张履祥说："近代盛交游，江南益盛。虽僻邑深乡，千百为群，缔盟立社无虚日"。②

天启七年（1627 年）　二十二岁。江西名士艾南英《与沈昆铜书》："台兄贯穿百氏，不为一流之学，而纵横磅礴之气，首尾浑成，此当求之西汉也"。③ 黄宗羲《思旧录》说士柱"读书明敏，下笔千言"。

崇祯元年（1628 年）　二十三岁。沈希韶升为浙江道御史，士柱与父在南京。艾南英、刘士云在南京穷困，"昆铜为吾二人具橐中装而行，所谓死生贵贱，缓急之感，有可存者"。④ 按士柱为人侠义，常帮助友人。宣城沈寿民说："回忆惕庵平生，糠秕金钱，解纷资急，不知凡几"。⑤ 泾县万应隆说士柱"轻财悦色"。⑥ 按，沈寿民，早年与士柱齐名，号称"江上二沈"。

崇祯二年（1629 年）　二十四岁。复社成立，是继东林党之后一个知识分子探讨学术、议论政治的集团。士柱与皖中名士方以智、吴应箕等人均参加复社。该年四月，复社领袖张溥作《沈

① 《复社姓氏传略》卷六《江西南昌府》。
② 《杨园先生全集》卷三一《言行见闻录》。
③ 《天傭子集》卷五《与沈昆铜书》。
④ 《天傭子集》卷三《偶社序》。
⑤ 《姑山遗集》卷二五《复沈天士》。
⑥ 《三峰传稿·吴麻沈合传》，丛书集成初编本。

伯母五十序》，为士柱母祝寿。

崇祯三年（1630 年）　二十五岁。士柱与吴应箕等人主持国门广业社，约定三年举行一次。该年南京乡试，张溥、陈子龙、吴伟业等均在此科中举人。吴应箕、黄宗羲下第，士柱可能也参加乡试。但他的功名只是贡生。

崇祯四年（1631 年）　二十六岁。冬，桐城方以智来芜湖，与金坛张明弼聚会士柱宅第。方以智（1611—1671），明清之际哲学家、科学家，是年，方以智二十一岁。

崇祯六年（1633 年）　二十八岁。三月，张溥于苏州虎丘开复社大会，到会者数千人。士柱、沈寿民、吴应箕为上江（在明代，安徽一带名作上江，江苏一带名作下江）召集人，时称"三茂才"。秋，士柱与沈寿民至杭州，寓孤山读书社，初识黄宗羲（宗羲是年二十四岁）。"每日薄暮，共集湖舫，随所自得，步入深林，久而不返，则相与大叫，寻求以为啁噱。月下泛小舟，偶竖一义，论一事，各持意见不相下，哄声沸水，荡舟沾服，则又哄然而笑。"① 这段材料描写黄宗羲、沈士柱等青年学子荡舟西湖，切磋学问，哄声沸水，如闻声欬。

崇祯七年（1634 年）　二十九岁。夏，士柱在杭州寓楼外楼。黄宗羲说："夕阳在山，余与昆铜尾舫观剧，君过余不得，则听管弦所至，往往得之，相视莞尔。一日昆铜诋分宜于座，进卿争之，至于搏拳恶口，余与君解之"。② 分宜指严嵩，进卿即江西刘同升，复社成员，后为崇祯十年状元。士柱与刘同升辩论乃至动手，可见性格刚烈倔强。按，钱穆先生比较顾炎武、黄宗羲说："梨洲近于狂，而亭林近于狷，为二人性格之不同"。③ 就是说，顾炎武

---

① 《黄宗羲全集》第十册《南雷诗文集》上，浙江古籍出版社 2005 年版，第 582 页。
② 《黄宗羲全集》第十册《南雷诗文集》上，浙江古籍出版社 2005 年版，第 582 页。
③ 钱穆：《中国近三百年学术史》，台湾商务印书馆 1987 年版，第 152—153 页。

（亭林）"城府深密"，工于算计，而黄宗羲（梨洲）性格比较豪放侠义，此点与昆铜相似，这是两人成为好友的基础。

崇祯九年（1636 年）　三十一岁。士柱在南京，是年为南京乡试年，乡试后八月，复社在桃叶渡开会，士柱参加①。

崇祯十一年（1638 年）　三十三岁。士柱与复社同志共发《留都防乱公揭》，声讨阉党阮大铖。公揭者，大字报也。在公揭上签名的有一百四十二人，都是当世清流。芜湖名画家萧云从弟萧云倩亦参与《留都防乱公揭》签名。

崇祯十二年（1639 年）　三十四岁。士柱在南京，吴应箕召集广业社，"大略揭中人也，昆山张尔公、归德侯朝宗、宛上梅朗三、芜湖沈昆铜、如皋冒辟疆及余数人，无日不连舆接席，酒酣耳热，多咀嚼大铖以为笑乐"。②

崇祯十四年（1641 年）　三十六岁。5 月，复社领袖张溥猝然病死。次年十月二十七日下葬，"海内会葬者万人"，士柱可能参加。冬，去当涂看望吴应箕。吴有"独感故人时见忆，衔杯欣对竹枝前"诗句。③

崇祯十六年（1643 年）　三十八岁。据《桃花扇》卷一第三出《闲丁》：该年三月，士柱与吴应箕等社友在南京文庙祭拜孔子。④ 后去杭州，与黄宗羲同寓西湖。

崇祯十七年（1644 年）　三十九岁。4 月，士柱去南京探询时局，与宜兴陈贞慧相约"世事至此，吾辈即死，死无益。仁人志士，海内自不乏吾辈，不死，当图其所以不死者"。⑤ 该年扬州

①　罗振玉：《万年少年谱》，民国八年排印本。
②　《南雷文约》卷一《陈定生先生墓志铭》，梨洲遗著汇刊本。
③　《楼山堂集》卷二六《沈昆铜云来视予》。
④　孔尚任：《桃花扇凡例》："朝政得失，文人聚散，皆确考时地，全无假借"。
⑤　陈贞慧：《书事七则》，昭代丛书本。

李盘（小有）由镇江至芜湖，住士柱家，访画家萧云从（字尺木）。《李小有诗集·芜关吟》有沈士柱序，大概作于是年。①

　　清顺治二年（1645 年）　四十岁。是年亦明福王弘光元年，阮大铖大兴党人狱，士柱曾被逮。四月，左良玉东下，南都震恐。五月，清兵克南京，弘光政权灭亡。士柱"流离江楚，比三载归"。友人高淳吴"古怀迎士柱妻子，属家人善抚之"。② 是年闰六月，吴应箕起兵抗清，冬，在池州石灰冲被捕遇害。沈寿民避地金华山中，后回宣城隐居，足不履城市者三十余年，与长洲徐枋、嘉兴巢鸣盛号称"海内三遗民"。③

　　清顺治三年（1646 年）　四十一岁。阮大铖死，士柱作"祭阮大铖文"，嬉笑怒骂，流于笔端。该文节录载于清人梁绍壬《两般秋雨庵随笔》卷二。

　　顺治五年（1648 年）　四十三岁。士柱回芜，"破家接客"，从事反清复明的地下活动。因为是年正月，清江西提督金声桓在南昌反正，四月，清广东提督李成栋在广州反正，长江中下游反清浪潮高涨。《皖志列传稿》卷一《沈士柱士尊传》："芜湖为长江下游锁钥，水陆津要，四方冠盖之所凑，遗民方外奇才剑客，或亡命失志之徒，至者必造士柱"。可知芜湖沈家是当时江南遗民的一个联络点。我们知道，遗民奔走活动，声气所通，沿途均受到供应庇护，"观阎尔梅自太原去临汾前，傅青主（傅山）为之雇驴，并将沿途食用粮油相送，亦可见当时情况之一斑"。④

　　顺治六年（1649 年）　四十四岁。春，桐城方文来访。《偕樯木师至沈昆铜庄》云："入山寻旧友，抆泪说先朝"。"君怀经世

---

①　谢国桢：《江浙访书记》，上海书店出版社 2004 年版，第 162 页。
②　《南疆逸史》卷四五《义士》。
③　《国朝先正事略》卷四五《徐俟斋先生事略》。
④　《赵俪生史学论著自选集》，山东大学出版社 1996 年版，第 311 页。

略，意岂在渔翟"。① 方文（1612—1669）桐城人，是方以智的族
叔，与钱澄之齐名。入清后以行医、卖卜为生，遗民情结深厚，
后客死芜湖。此次"带月到君庐"夜会昆铜，或许酝酿反清密谋？
槁木即麻城梅之焕，复社成员，明亡后削发为僧。之焕父国桢，
明朝兵部右侍郎。堂兄之焕，明朝甘肃巡抚。之焕女梅夫人（即
钱牧斋所称"六安黄夫人"），拥众数万，在英霍山区屡败清军。
按，是年英霍山区"四十八寨复相继立，山兵军容甚盛"。② 士柱
也许借助槁木与英霍山寨进行联系？

　　顺治八年（1651 年）　四十六岁。江西易堂九子之一彭士望
到长江下游活动，诣芜湖拜访士柱。③ 彭氏《耻躬堂诗文钞》卷三
"鸠兹止宿沈昆铜米肆答赠用元韵"二首之二："街鼓催眠夜语长，
居寒心怨北风凉"。按，这条诗题极有价值，揭示士柱经营米店。
结合上引材料，可知昆铜有田庄有米店，这是他"破家接客"的
经济来源。

　　顺治九年（1652 年）　四十七岁。春，桐城钱澄之来访，
《访沈惕庵村居》："闲锁高楼野外居，故人相访暮春余。水田泥浊
调生犊，山路又多信跛驴。屋赁半间栖剑客，窗存破砚写方书。
岳僧近自湖南至，又过城隅给米蔬"。④ 诗中所谓"剑客"、"岳
僧"，反映出士柱交游的广泛。钱澄之（1612—1693），初名秉镫，
字饮光，号田间，清初著名诗人、学者，也是桐城经学文章的开山。

　　是年，士柱与方文、萧云从等聚会，互勉"岂应垂钓老沧
州"。萧云从（1596—1673），芜湖人，清初姑孰画派领袖。吴肃
公《街南文集》卷一九《萧尺木先生画卷跋》："先生风流儒雅，

① 方文：《嵞山集》卷五，上海古籍出版社 1979 年版。
② 《蕲黄四十八寨纪事》卷一，明清史料汇编本，台北文海出版社 1973 年版。
③ 邓之诚：《骨董琐记全编》，北京出版社 1996 年版，第 474 页。
④ 钱澄之：《田间诗集》，黄山书社 1998 年版，第 9 页。

辉映一世，与沈昆铜先生并为于湖之老宿，先代之遗民。昆铜先生抱节遇祸，而先生意气凝然，以画自隐"。

顺治十年（1653 年）　四十八岁。秋，士柱牵连杨鲲空敕案，但证据不足被释。《先公田间府君年谱》："又有汪愿德者，僧装，自称台石大师，本朝官爵，位极人臣，到芜送劄派饷。芜湖流寓徽宁旧道余鹍翔信之，从风而靡者数十人。……九月难作，捕杀甚众，昆铜亦被逮，以踪迹疏幸免。府君（钱澄之）在秋浦闻信，遍捕余党，已有骑过江浦者，疑台石怪予必见诬害，此公竟慷慨就死，一人不连，而鹍翔诸君子竟同死焉"。① 按，余鹍翔为明地方官员，顺治九年春在芜湖一带活动，昆铜与他"抵掌谈大义，无所忌讳"。

顺治十一年（1654 年）　四十九岁。秋，钱澄之至芜湖，贺士柱出狱，作《读惕庵再晬诗》。② 是年方以智为僧，改字无可，在南京高座寺看竹轩闭关。方以智写《鸠兹昆铜》诗："虚空迸裂刹竿倒，休与浮云问分晓。断藤枯枝自缭绕，更向何人倾栲栳。鸠兹草堂守蓬葆，有子名之曰耕老。沸渨翻飞波浩浩，容汝荒田恩不小。厨床兔历朱虚岛，道渊柴篱不烦造。哈駒耳畔霹雳好，万箭千刀为我扫。日日烘炉试毒草，嗒然彭殇无寿夭。昆山树烧不槁，枕头珍重先天宝"。③ 诗意奇诡，诗多隐语，甚难通解，书此俟考。

顺治十二年（1655 年）　五十岁。是年中秋，为复明奔走的钱谦益（牧斋）在苏州佛寺会见自芜湖而来的施伟长。《牧斋有学集》卷二二《赠别施伟长序》："（吉州）伟长投笔从戎，佐中湘

---

① 北京图书馆：《北京图书馆藏珍本年谱丛刊》第 71 册，北京图书馆出版社 1999 年版，第 61 页。

② 钱澄之：《田间诗集》，黄山书社 1998 年版，第 41 页。

③ 《浮山后集》卷四《建初集》，安徽省博物馆藏清刊本。

戎幕，指挥能事，崎岖岭峤，突冒锋刃。……乙未岁九月朔日虞
山年家蒙叟钱谦益奉赠芜湖沈昆铜、南昌徐巨源，皆伟长一流人
也"。据嘉庆《芜湖县志》卷一三《人物志》，施伟长后久客芜湖。
颇疑施伟长此人，为钱牧斋、沈昆铜之间联络人。同年，江西宁
都魏禧写有"贺沈昆铜五十"一文。钱澄之写有"寄怀惕庵五十"
一诗。

顺治十三年（1656年） 五十一岁。春，士柱寄书信和滇产
"连心红"给钱牧斋，牧斋答诗"滇云万里通勾漏，职贡遥遥问乙
鸿"。① 暗指士柱与明永历政权有密切联系。徐孚远《闻沈昆铜变
感赋》："沈子意气素蜕生，好奇藏侠有英名。蜡丸数达宸舆侧，
结伴期扶天座倾。"永历政权曾授予士柱都督之职。按，该年元月
至三月，钱牧斋在南京活动。牧斋与昆铜关系密切，可惜陈寅恪
先生《柳如是别传》没有讨论。

同年，浙江慈溪魏耕赋诗寄士柱，诗云："操刀拟不割，无以
握丝纶。志士贵决机，盈缩在一人"②。敦促士柱为攻取南京的接
应计划抓紧行动。后来郑成功、张煌言联军北伐南京之役，"魏氏
（即魏耕）为顺治十六年己亥郑延平率舟师攻南京之主谋者"。③

顺治十四年（1657年） 五十二岁。春，方文再访士柱，
《芜阴访沈昆铜饮其山阁》："坐中忽诵虞山句，此道应推此老知。
注：钱牧斋先生有寄沈诗甚佳，沈诵之"。④ 冬，士柱牵连李之椿
一案被捕，此案即清初著名的湖城大案。李之椿，字大生，扬州
如皋人，明天启二年（1622年）进士，仕明至尚宝寺卿。入清后

① 《牧斋有学集》卷六《秋槐别集》，《人日得沈昆铜书诒我滇连心红却寄》。
② 魏耕：《寄沈士柱二首》载《雪翁诗集》卷一，浙江古籍出版社1985年版。
何龄修先生推定当在是年，从之。
③ 陈寅恪：《柳如是别传》，上海古籍出版社1980年版，第1072页。
④ 方文：《嵞山集》卷九，上海古籍出版社1979年版。

进行复明活动，以浙江嘉兴、湖州为基地，联络海上义师。卷进李之椿案的重要人物达四十八人，分布在"江浙鲁豫梁楚数省"。① 据芜湖民间传说，芜湖知县李浚与游击刘世贤开堂审问："本朝大局已定，你为何仍着古冠大服（指明朝服饰）？"士柱答："我是故国人，应着故国服"。知县李浚喝道："你可知道本朝法律，留头不留发，留发不留头吗？"士柱闭目说："生为故国人，死为故国鬼"。知县怒道："你聚众图谋不轨，煽动叛乱，可知罪吗？"士柱也怒目相对说："你食大明禄，叛大明国，可知罪、可知耻吗？"说得李浚面红耳赤，退下大堂。当时将沈士柱押送南京，关在南京明故宫内。

　　顺治十五年（1658 年）　　五十三岁。士柱在狱中"一身被九锁"，② 受到严刑拷问，"榜掠无完肤"。他在明故宫作前后故宫词二十四首，其中前词一首说："三百年恩总未酬，宸居何意卧羁囚，先皇制就琉璃瓦，还与孤臣作枕头"。词意坦荡慷慨，丝毫不以生死介意。

　　顺治十六年（1659 年）　　五十四岁。三月清明节（1659 年 4 月 5 日），沈士柱"溅颈血"牺牲于南京，与同案四十八人同时被斩于南京西市。当死讯传到芜湖，昆铜夫人方氏、妾汪氏、妾鲍氏均殉死节，士柱尚有一妾俞氏，多智能，有口辨，"为三氏经纪棺殓。籍其家，惟俞氏抱一乳女，吏疑有匿漏，穷讯再四。俞痛哭曰：吾主人实无子，必欲拷索，妾惟并此女毕命以殉。由是吏不能难，沈氏之族以免，而俞自髡为尼，卒不辱"。③ 按，沈氏三节妇坟在芜湖范罗山，乾隆时道台张士范为之立碑。士柱葬在南京雨花台，是沈寿民托人葬之。

---

　　① 何龄修：《五库斋清史丛稿》，学苑出版社 2004 年版，第 184—208 页。
　　② 邓之诚：《清诗纪事初编》，上海古籍出版社 1984 年版，第 226 页。
　　③ 施闰章：《学余堂文集》卷一七《三烈妇传》，清刻本。

陆勇强《陈维崧年谱》：顺治十六年（1659年）三月，周世臣以李之椿案被处死，子二人坐没。按，宜兴周世臣，字颖侯，崇祯十三年（1640年）进士，明兴化府推官。昆铜有五律"九日和颖侯"，细玩诗意，可能周世臣亦被拘南京明故宫。

沈士柱卒后：

顺治十六年（1659年），郑成功、张煌言联军北伐，六月下旬进抵南京，七月初七日张煌言到达芜湖，八月初退去。"是役也，江南半壁震动"。然功亏一篑，被迫退出长江。《皖志列传稿》卷一《沈士柱士尊传》："士柱之死焉以己亥春，及其秋而郑成功大率师泝江达金陵，张煌言道芜湖入徽宁山中，清廷大震。已而成功兵卒败于城下，煌言遂走钱塘出海以去。呜呼，使士柱而不即死焉，田畴导师之心，庶几其将一见哉"。文中使用田畴为曹操的向导，平定塞北乌桓的典故，感叹士柱早逝，未能发挥更大的作用。

顺治十七年（1660年）冬，黄宗羲庐山之游后，途经芜湖。作《过芜湖忆沈昆铜》诗："寻常有约在芜湖，再上高楼一醉呼。及到芜湖君已死，伸头舱底看浮图"。黄宗羲《思旧录》专有一条谈论沈士柱，其子黄百家说：昆铜先生与先君子交最厚。黄宗羲结交吕留良后，曾谓吕留良略似沈昆铜。黄宗羲又说："余束发交游，所见天下士，才分与余不甚悬绝，而为余之所畏者，桐城方密之、秋浦沈昆铜、余弟泽望及子一四人。五行一览，半面十年，渔猎所及，便期专门，天生此才，仅供丧乱之摧剥"。① 这里"秋浦"，可能指沈士柱的籍贯。② 由此可知黄宗羲十分推崇沈士柱。

徐孚远《闻沈昆铜变感赋》："太白何时能入月，江南义士年年没。党籍株连可奈何，竟无片地安薇蕨。沈子意气素蜿生，好

① 《黄宗羲全集》第十册《南雷诗文集》上，浙江古籍出版社2005年版，第416页。
② 《姑山遗集》卷二〇，《邵德堂记》卷二五《复沈天士》。

奇藏侠有英名。蜡丸数达宸舆侧，结伴期扶天座倾。惜哉计划未能就，事泄瘐死天无情。前年遗我书一缄，堕水不戒冯夷惊。正闻齐晋有同盟，相期握手石头城。岂意今来得此讯，海水尽作悲凉声。生既无聊死亦轻，不如联袂上玉清"。① 徐孚远（1599—1665），字闇公，华亭人。明季与陈子龙倡几社，有经世才。明亡后起义抗清，兵败后入闽，后跟随郑成功、张煌言"潜联内地，不避艰危"。② 此诗作于顺治十六年（1659年），提及前年士柱与他的联络，赞扬士柱"好奇藏侠有英名"。

关于沈士柱的诗集，清初黄虞稷《千顷堂书目》卷二八著录："沈士柱，土音集"。康熙三年（1664年）九月，士柱弟士尊去江西青原山，以《土音集》赠方以智。③ 钱牧斋也读过《土音集》，写下"烂漫一束纸，墨淡字半刓，摩挲不辨文与字……无乃苌弘之血、弘演之肝"。④ 江宁人先著《题沈昆铜土音集》："芜阴烈士，毁家能作捐生事。慷慨相从，室内三人一死同"。⑤ 可知《土音集》在顺康年间颇为流行，雍正时还见沈士柱诗篇的流传。⑥ 后来乾隆朝收缴禁书，再加上沈氏家族的败落，《土音集》没有流传下来。按，沈昆铜交往的方以智、钱谦益、钱澄之、方文、彭士望诸人之著作，在清代均被列为禁毁书，此为我国书史上一件大事，特为记之。

关于芜湖沈氏家族，"士柱罹罪死，士尊鉴兄祸，遂自约，欧湖（芜湖，境内有欧阳湖）旧多词客，若汤岩夫、方沂梦辈，相

---

① 邓之诚：《清诗纪事初编》，上海古籍出版社1984年版，第95页。

② 《徐闇公先生年谱》顺治九年壬辰条，载《北京图书馆藏珍本年谱丛刊》第67册第59页。

③ 任道斌：《方以智年谱》，安徽教育出版社1983年版，第230页。

④ 《牧斋有学集》卷一二《东涧集》，《寒夜记梦题昆铜〈土音诗稿〉》。

⑤ 先著：《劝影堂词》卷上，清刻本。

⑥ 《世宗宪皇帝上谕内阁》卷八二，文渊阁四库全书本。

与忘形落拓，为世外交……暮年潦倒以卒。传闻其孙呆树主西湖净慈方丈云"。① 士柱有一子名铿，字孝瑟，能世其家学。孙延陵，后以事被逮病故，嗣绝。

---

① 民国《芜湖县志》卷四九《人物志》。

《繁阳李氏宗谱》跋

近读《繁阳李氏宗谱》，又结合地方志、文集等材料，梳理了安徽繁昌名门之一东岛李氏的发展历程，对于皖江地方文献整理以及区域史研究，或许有所裨益。

一

《繁阳李氏宗谱》五卷，（清）李桂馨主修，清光绪七年（1881年）木活字版。卷一载诰敕、谱序、像赞、仓前李氏阴阳基图。卷二记世系源流，包括李氏受姓历代渊源、汉陇西成纪派世系图、唐李阳冰世系图、姑孰青山派世系图、东岛世系图等等。以下至卷三、卷四，详叙仓前世系，并且书讳、书名、书字、书配、书子女、书生卒等。卷四并附艺文、家规、服制图、祠堂、派行等。卷五亦叙仓前世系，光绪七年后至民国年间出生的李氏族人，抄录生卒年月，婚姻子女、葬地等情况，可能为日后修谱提供家族原始资料。这种格式，属于家谱余庆录部分。该谱系繁昌仓前李氏清末所修，现藏芜湖市三山区峨桥镇茶商李继宏处。

唐代文化名人李阳冰被该谱奉为一世祖，并谓李阳冰是汉成纪将军李广之后裔。考《汉书·李广传》："陇西成纪人也。其先曰李信，秦时为将，逐得燕太子丹者也。"《新唐书·宗室世系表》："李崇为陇西房，其后李尚，成纪令，因居成纪。尚生广，前将军"。李广为汉朝前将军，猿臂善射，才气天下无双，匈奴畏之，号"飞将军"。史籍中没有"成纪将军"的说法，而是李广所属的成纪李氏是陇西李氏的一支。又查《新唐书·宰相世系表》，李阳冰为赵郡李氏三大支系之一的南祖房支。我们知道，赵郡、陇西只是代表"郡望"。① 历史上，一个姓氏有多个郡望。《广韵》卷三《上声六止》记李姓郡望有陇西、赵郡、顿丘、南阳等十二望。"郡望"系指一个地方的名门望族，特指魏晋至隋唐间郡中显贵的大族。宋代以来，"郡望"作为专指某些地域某一名门望族的习惯用语，却保留下来。因此，该谱将李阳冰列为陇西李氏，明显与历史真相不符。这也是告诉我们使用家谱资料时，应当审慎，合理利用家谱，但不可迷信家谱。

　　该谱奉为一世祖的李阳冰，约生于唐玄宗开元初年，卒年当在唐德宗贞元初年，年寿当在七十以上。② 我们知道，李阳冰是唐代篆书大家，工小篆，有"笔虎"之称。风格圆淳瘦劲，号称"玉筋篆"。在中国书法史上亦占有一席之地。唐肃宗上元二年（761年），时任当涂县令的李阳冰曾照顾晚年穷困潦倒的大诗人李白。并在李白死后，整理李白的诗集，即《草堂集》十卷。又作《草堂集序》，此序成为后世李白传记的主要史源。

二

　　南宋初年，号称李阳冰十三世孙的李儒从当涂迁移繁昌东岛，成为东岛李氏的开基始祖。据说，宋代海岛之民可免赋税，李氏为躲避赋税征敛，取村名为东岛。③ 谱云："丁宋南渡扰攘，辄避

---

① 钱大昕：《十驾斋养新录》卷一二《郡望》，上海书店出版社1983年版。
② 周祖谟：《问学集》，中华书局1966年版，第808页。
③ 《安徽省繁昌县地名录》，1984年内部刊行，第59页。

去，挟资由青山徙繁昌，见灵岩东岛万山锦绣，奥区四塞，遂卜居焉。……生聚教诲，井井有理，其创树已闳远矣"。明人程文绣在《繁阳李氏续修统谱旧序》也说："儒因兵燹，肇基于繁昌之东岛，且悬耕读两端，为子孙式。"李儒本人就是饱读诗书的知识分子，"博古强记，善属文"。移居东岛后，确立读书耕田为家族头等大事，这是为子孙计长久的举措，很有眼光。古代社会里，"耕"是生存之本，"读"是进身之阶。始迁祖李儒树立耕读并举的家风，对于李氏家族的发展，影响很大。

李儒子明五，奉父庭训，专精儒业，绍兴年间参加科考，屡试未中，于是专心教育子弟。明五子李继，"天才骏发，家学渊源"。于南宋淳熙十一年（1184 年）考中进士，成为繁昌

繁阳李氏续修统谱序 盖自唐阳
裒城灵岩之阳李氏居焉
冰公初尹谱云复令当塗季子操公
遂家姑孰儒公者姑卜泊居襄城东岛
三世孙薛儒公之下益能卜居襄城东岛明之隆九公
村灵岩之右则为柳塘明之隆九公
嗣居懿分徙於此益能昌大其业迄
今奥东岛号爲两分溯唐宋元明以

李氏第一位进士。李继后任福建莆田县令，清冤狱，戢豪右；德政在民，口碑载道。为官三年，不幸以疾卒官，归葬家乡。关于东岛李氏的经济生活状况，明人顾起元说："芹川先生姓李氏，讳文泮，子化其字，太平之繁昌东岛人也。其家姑孰也，自唐当涂令阳冰之少子操始，历宋迄明，代隐于穮蓘间，而或用什一策以显"。[①]"穮蓘"典出《左传·昭公元年》："譬如农夫，是穮是蓘，虽有饥馑，必有丰年"。"什一"指经商。可见东岛李氏以农耕为主，间或经商。

---

① 《遁园漫稿》卷二《芹川先生传》，明刻本。

明朝洪武初年，隆二公（思明）一系仍居东岛，隆九公（思敬）携三子迁往柳塘，"依外祖故基"。柳塘在东岛山西麓，家谱说："灵岩之右，则为柳塘。明之隆九公嗣居，懿分徙于此，益能昌大其业，迄今与东岛号为两分"。思敬第三子李懿，11岁从父迁柳塘，先充县学生员（即俗称秀才），又于明永乐十二年（1414年）中式举人。不久出任黄州府教授。懿子李统，明景泰五年（1454年）以贡生任保定府唐县知县，连任两届，为期六年，有政绩。"致仕后归养静灵山房，置学田为子孙诵读计，捐地为义塚瘗无主枯骨。乡城设义馆以教里族之贫子弟，中丞吴琛为统门下生。统没，举祀乡贤。"①吴琛，景泰二年（1451年）考取进士，官至右佥都御史，巡抚甘肃，总督两广。这位出自繁昌的明代高级官员，即是东岛李氏的分支柳塘李统的学生。

柳塘李氏到了晚明，科第相望，气运颇盛。李一公兄弟联翩接踵，创造出连中二元的记录。万历三十八年（1610年）庚戌科，李一公考取进士，累官四川参政（从三品）。天启二年（1622年）壬戌科，李一献亦成进士，仕至金华府知府（正四品）。一公为人"天性义侠，岁入俸资半以周诸父昆弟之急，而居乡恭谨，不以轩冕上人。时门下士多南显官，一公片纸无所请讬，人服其介，年六十卒，入祀乡贤"。②又有李一命，万历十一年（1583年）拔贡，万历二十一年（1593年）任温州府通判（正六品）。③也是一公同族兄弟辈。

值得一提的是，李一公交游广泛。钟惺是晚明文坛的一位旗帜性人物，"竟陵派"文学主将，也是李一公的进士同年。钟惺曾为一公的《二十一史撮奇》作序，称赞这部书是以史为鉴的著作。

---

① 道光《繁昌县志》卷一二《人物志》。
② 乾隆《太平府志》卷二五《宦绩志》。
③ 万历《温州府志》卷七《秩官志》。

"采辑古人事迹"，"为国家兴亡之征，为君臣劝警之资"。可惜此书已佚，仅存钟惺的序，载于道光《繁昌县志》。潘之恒是万历年间戏曲表演评论家，也是当时颇有名气的诗人和地史学家。万历四十六年左右，潘之恒在宣城一带活动，① 曾游历繁昌。在他的《金峨山记》、《马仁山记》均提到李一公。

万历三十二年（1604 年）甲辰科，东岛李万化考中进士，官至山东按察使（正三品）。李万化的祖父李廷黻，经营农贾，读书好义。万化的父亲李文泮，科考不得意，功名仅是秀才。于是归隐家乡，著有《浮丘逸草》诗集。同时注重宗族教育，"悯子弟之读书，而膏晷不继者，号众置义馆，延师授之。且躬督其程课，族之弦诵，彬彬相望。自先生仲子万化举进士，它嗣起甲第与负隽声膠庠者，趾相接也"。② 道光《繁昌县志》卷一二《人物志·文苑》说："万化博学能文章，尤工吟咏。归田之后，郡邑碑版悉属之，所著有闽游、楚游诸草，藏于家。三子诸孙皆能世其家。"

有明一代，繁昌李氏东岛、柳塘二支在科举仕途上表现不凡，出了三位进士，占全县进士总人数十六人的 18.8%。同时代的繁昌汪桥徐氏出了两位进士，徐杰成化二十年进士，官至知县（正七品），徐贡元嘉靖二十年进士，官至户部侍郎（正三品）。从进士人数、仕宦品级看来，东岛李氏均略高于汪桥徐家。

三

明初，东岛李氏中隆九公一系迁居柳塘。此后，隆二公之孙义三公（李富）又迁居峨溪仓前（今峨桥镇李村），③ 成为仓前始

---

① 郑志良：《潘之恒生平考述》，《文献》2000 年第 3 期。

② 《遁园漫稿》卷二《芹川先生传》，明刻本。

③ 李村位于峨桥镇西一里，原名李家仓。现居住李姓村民三百余人，村民多在峨桥经商。2005 年 9 月 13 日，国务院批准调整芜湖市部分行政区划：设立三山区，将繁昌县的原三山镇、峨桥镇划归三山区管辖。

迁祖。义七公（李勖）又由东岛迁浮山（今峨桥镇）。李富子景清（1436—1518），字澄远，颇有能力。在保大圩一带筑室置产，修桥铺路，奠定了仓前李氏的经济基础。

历明清两代，仓前李氏、浮山李氏的科考气数不旺。只有浮山一系的李资，弘治三年（1490 年）贡生，出任湖南常宁县教谕。仓前李氏三十三世的宏遴（1725—?），字飞群，号柳野，醇和谨慎，绩学能文，屡考未中；三十七世的明宇（1773—?），"业儒，苦读诗书，屡世（试）未售"；三十八世的敦法（1829—1886），字汉才，号小山；"幼读诗书，壮游泮水"；仅得县学庠生功名。家谱记载这时期人物"不求闻达，恪守田园"。又说："诚实无伪，洵有古风"；"淳朴近古，不染嚣尘，""朴实无华，躬耕自适""纯谨无他长"。这些纪录，反映仓前李氏确实具有书香门第的特征。浙江嘉兴谭家（著名学者谭其骧家族），先祖谭定于明初躲避戍役，从山阴出亡到嘉兴乡间，后入秀水县籍。晚明曾经一度辉煌，出过三位进士。谭昌言，万历二十九年（1601 年）进士，官至山东参政。谭贞默，崇祯元年（1628 年）进士，仕至国子监司业。谭贞良，崇祯十六年（1643 年）进士，著《狷石居遗稿》。从此列为嘉兴的名门望族。① 但至清康熙年间，谭家已"垂绅者少，高隐者多"。到了乾隆中叶，"百年之中几无一人青衿者"。青衿即秀才，谭家一百余年没有出过秀才，时运不济，仕途不畅，这和仓前李氏何其酷似！

仓前李氏于明初由东岛李氏分支而来，子孙蕃衍，成为大族。清康熙五十九年（1720 年）夏天，仓前李氏建立了祠堂。东岛、柳塘二支族人都前往祝贺，并送去"光裕堂"匾额。从前，如果离开一定的经济实力，是无法营造祠堂的。祠堂是一个家族势力

---

① 潘光旦：《明清两代嘉兴的望族》，上海书店出版社 1991 年版，第 74 页。

的象征，又是家族的门面标志。祠堂告成，也意味着李氏已经在仓前扎根。

李氏主要成员简历表

姓名	字号	生年	卒年	享年	科举	仕宦	备考
李儒	八俏	1096	1165	70			东岛始迁祖
李继	孝先				进士	莆田县令	
李思敬	景良						柳塘始迁祖
李懿	士美				举人	黄州府教授	
李钺					贡生	唐县知县	入祀乡贤
李万化	君一				进士	山东按察使	
李一公	闇生				进士	四川参政	入祀乡贤
李一献	季可				进士	金华府知府	
李富	尚殷	1394	1454	61			仓前始迁祖
李资	世用	1437	1502	66	贡生	常宁县教谕	
李桂馨	汉才	1829	1886	58	庠生		光绪谱主修

原载《繁昌文化研究》2007 年第 1 期。

皖籍数学家周炜良

旅美数学家周炜良（1911—1995），安徽东至县人（清朝时东至县名为建德县）。周炜良1911年10月1日在上海市出生并成长，他的父亲周达（1879—1949），谱名明达，号美权，一号梅泉，在邮学界又有"周今觉"的笔名。是清末民初著名数学家，又是集邮界的一位泰斗。他的曾祖父周馥，在李鸿章幕府，是辛丑和约谈判的关键人物，后官至两江总督。东至周家得风气之先，在政商学界出了不少人物。

周炜良自幼受父亲影响，对数学十分感兴趣，1927年到美国中西部读大学，毕业后进大学研究院。20世纪30年代初，世界的数学中心在德国。后又赴德国专攻数学，随范·德·瓦尔登研究代数几何学，1936年夏获莱比锡大学数学博士，回国后任教于中央大学、同济大学等校，1947年转至美国霍普金斯大学，任数学系教授、主任。1959年，他当选为台北中央研究院院士。1977年周炜良退休，成为霍普金斯大学的荣退教授。由于衣食无忧，周炜良做数学完全出自兴趣和爱好，毫无功利色彩，他全身心地投入到数学研究中，潇洒自如地做数学，他的工作得到数学界的赞赏和肯定。

周炜良和数学大师陈省身是知交，留学德国时，两人曾共租一房，情同手足。陈省身教授在"数学陶冶我一生"文中写道："我的另一位学友是代数几何学家周炜良，他为了跟 Hermann Weyl

做研究从芝加哥来到哥廷根……他又转往莱比锡随范·德·瓦尔登（Van der Waerden）工作，由于某种原因，他住在汉堡，有时来参加讨论班，周炜良当时正在发展他的'配型'（zugeordnen Formen），即后来所称'周氏坐标'，周是一位有创见的数学家，他对代数几何作出了重要贡献，包括他的紧子簇定理和相交理论，周出身于中国一个高层官宦家族，它很早就认识到西化的必要，因此这个家族出了不少杰出人物，周习惯夜间工作，当他来访时我就得牺牲一些睡眠，但却学得一些数学。"

为了纪念数学家周炜良和陈国才，2002 年 10 月由数学大师陈省身主持，在南开大学召开"代数几何与代数拓扑国际学术会议"，这次会议除介绍这两位数学家外，主要在代数几何、代数拓扑、微分几何等方面进行学术交流，在筹备初期就已接受邀请并将在会上作报告的国外学者有近 30 位，国内外众多的数学家参加了这次会议。

陈省身教授说："炜良是国际上领袖的代数几何学家，他的工作，有基本性的，亦有发现性的，都极富创见，中国近代的数学家，如论创造工作，无人能出其右。"[1]

周炜良的数学方向是代数几何学，他在代数几何学方面的研究成果被国际数学界称为"周氏坐标"；另外还有以他命名的"周氏定理"和"周氏环"。

在数学界以华人命名的著名的研究成果，还有华罗庚、苏步青、熊庆来、陈省身、吴文俊和陈景润等十五六位数学家，周炜良是其中之一。[2] 数学家 P. 拉克斯（Lax）把周炜良列为最重要的移居美国的数学家之一。

"周氏坐标"：把一般属于 P^n 的射影族，当给定次数为维数

---

[1]　台北《传记文学》第七十五卷第二期。
[2]　王文：《以华人命名的数学成果》，《全球科技经济瞭望》2002 年第 7 期。

时，能用一些 P^n 中的齐次坐标来表示，构成一个模族空间。

"周氏定理"：在系域上的一个解析族，如果能嵌到射影空间中，则一定是个代数族。

周引理：一个完全族可以表示为一个射影族的商空间。

周氏环（cycle）是一个族中余维（codim）＝r 的子族作为生成元，在加法合相交下构成一个环。周炜良环是代数几何研究中的一项重要工具。[①]

（本文写作过程中得到中国科技大学数学系张韵华副教授的帮助）。

原载《大学数学》2006 年第 6 期。

① 卢嘉锡：《中国现代科学家传记》（第四集），科学出版社 1993 年版，第 32 页。

第四篇 芜湖文献研究

唐五代芜湖军事风云

唐代，芜湖为当涂属镇，有"芜湖口"（杜牧《樊川文集》卷四《往年随故府吴兴公夜泊芜湖口今赴官西去再宿芜湖感旧伤怀因成十六韵》）之称。直到南唐昇元年间，复置芜湖县。唐代当涂、南陵都属宣州管辖，宣州是江南比较富裕的州县。唐时南陵县域范围较大，包括今繁昌县、铜陵市。五代十国时期，芜湖属于吴、南唐领地。宋开宝八年（975 年），宋灭南唐，芜湖又进入宋朝版图。以下试就唐五代时期芜湖一带发生的战争，作一些简略的描述与探讨。

一、李靖大破辅公祏

杜伏威（598—624），隋末齐州章丘人。辅公祏（？—624），齐州临济人。少年时代二人友善，杜伏威家贫，常得辅公祏接济，二人遂为刎颈之交。隋末，炀帝荒淫无道，天下反叛，杜伏威与辅公祏在家乡聚众起事。时杜伏威年仅 16 岁，因作战勇敢，被推举为首领。隋大业九年（613 年）杜伏威、辅公祏率军进入长白山（今山东章丘），投靠左君行起义军，后来转战至江淮一带，多次打败隋军的进攻，收编了许多小股起义军，力量越来越强。大业十三年（617年），杜伏威击败隋朝名将陈稜，乘胜攻破高邮，占领历阳（今安徽和县），控制淮南各县，直接威胁了隋的重镇江都。

唐武德二年（619年），杜伏威降唐，被封吴王。武德三年（620年），杜伏威又渡江进占丹阳（今江苏南京）。武德四年（621年），杜伏威击败李子通于杭州，又破汪华于歙州，基本上平定了长江下游，"尽有江东、淮南之地，南接于岭，东至于海"。①武德五年（622年），唐王朝先后镇压了河北刘黑闼起义军和山东徐圆朗割据势力。七月，召杜伏威入朝，表面上恩礼有加，实际上是将其软禁。杜伏威入朝长安的时候，留辅公祏镇守丹阳。辅公祏知道唐朝不会让杜伏威返回江南，假称杜伏威写信给自己，叫他起兵反唐。于是"大修铠仗，运粮储"，②在武德六年（623年）的八月，称帝于丹阳，建国号宋。并与占领洪州（今江西南昌市）的张善安联兵。唐军分几路进攻，一路由李孝恭（唐高祖李渊的堂侄）率领，自襄阳出兵，经由汉江入长江；一路由李靖率领，自岭南越大庾岭，沿赣水，进趋宣州；一路由黄君汉、李世勣率领，在淮上会齐，取道淮、泗南下。武德七年（624年）三月，李孝恭、李靖在舒州（今安徽潜山）会师，进抵芜湖。李世勣率步卒一万渡淮河进至硖石。辅公祏遣部将冯慧亮、陈当世领水军三万，屯守博望山（今芜湖市东梁山）；陈正通、徐绍宗率步骑三万，屯守青林山（今当涂青山）。又于梁山下面，以铁锁断江路，阻挡来船。并在两岸筑城结垒，蜿蜒连绵十余里，与陈正通所部形成掎角之势，严密防守，冯慧亮等秉承辅公祏的命令，采取坚壁不战以疲劳唐军的战术。李孝恭派出奇兵断敌粮道，冯慧亮等军乏食，夜出袭击唐营，李孝恭早有准备，冯慧亮只好引还。

① 《旧唐书》卷五六《杜伏威传》。
② 《资治通鉴》卷一九〇。

越日，李孝恭召集诸将会议，诸将都说："冯慧亮等拥兵据险，急切未易攻下，不如直指丹阳，捣毁巢穴。丹阳一破，慧亮等也就投降了"。李孝恭将从其议。李靖认为："辅公祏精兵，虽多在此地，但丹阳健卒，料也不少。现在博望诸栅尚不能拔，公祏保据石头城，难道反容易攻取吗？如果我军进攻丹阳，旬日不下，进则公祏未平，退则慧亮为患，腹背受敌，岂非危道？我看冯慧亮、陈正通均是身经百战之人，本意非不欲战，只因辅公祏立计，令他持重，打算疲劳我军，乘懈来击。我今先用弱兵引诱，然后驱精兵，一举便可荡平了。"唐军于是按照李靖的部署，先派老弱羸兵进攻辅军营垒，而以精兵结阵，放在后面。当老弱部队攻营不胜而走，冯慧亮等出兵追击，行数里，遭遇李靖大军主力。双方交战，李靖大破辅公祏的部队，乘胜逐北，转战百余里，博望、青林两戍皆溃散，杀伤、溺死辅公祏的部队一万余人。李靖率领军队先至丹阳，辅公祏大惧，弃城东走，最后在湖州武康（今浙江德清西）被乡民执送丹阳遭杀，唐军捕杀其残部，江东遂平。

李靖（570—649），唐代名将，著名军事家，封卫国公，世称李卫公。李靖最显著的功绩，在于击灭东突厥及讨伐吐谷浑二役。至于平江南诸役，他还是牛刀小试。在击灭割据湖北的萧铣以及芜湖附近之战，每次所作的状况判断，都是符合机宜，不愧名将见识，很值得回味。例如：李靖破萧铣是利用三峡江水泛涨，萧铣不备，而急速进军进行奇袭；而在破辅公祏时，却利用敌军"欲不战以老我师"而"攻其城栅，出其不意"以取胜。李靖用兵的特点是善于料敌，临机果断。自古名将易功高震主，不善其终，而李靖从容于庙堂之上，谨慎于形迹之间，终身为朝廷所重，与其修养不无关系。

二、安史之乱与芜湖

我们知道，长达八年的安史之乱（755—763）是唐朝由盛而衰的转折点。安史之乱的主要战场在中原地区，黄河中下游破坏得很厉害。当时，唐的地方官张巡、许远，在人民的支持下，坚强地守住雍丘（今河南杞县）、宁陵、睢阳（今河南商丘）一线，遏阻了安史叛军南下的道路。"而唐全得江淮财用，以济中兴"。长江一带南方地区，虽然没有直接蒙受安史之乱的战祸，但也间接受到影响。

（一）永王李璘的引兵东下

永王李璘是唐玄宗第十六个儿子，至德元年（756年）九月，唐玄宗任命永王璘领四道节度使，出镇江陵。"时江、淮财赋山积于江陵，璘招募勇士数万人，日费巨万"。永王想下取金陵，全有江东，以便抵御安史叛军。刚即位的唐肃宗命令永王还蜀，永王璘不从。于是率兵东下，进至当涂。在当涂附近击斩丹徒太守阎敬之，"江、淮大震"。① 但是永王璘很快败死，没有给予芜湖一带很大影响。

（二）刘展起兵反唐之乱

上元元年（760年）十二月，唐肃宗因宋州（今河南商丘）刺史刘展兵强，假意提升他为江淮都统，想借此夺取他的兵权，造成了刘展的反抗，带兵进攻江南一带。唐派平卢兵马使田神功攻打刘展，田神功的军队至扬州，"大掠百姓商人资产，郡内比屋

---

① 《资治通鉴》卷二一九。

发掘略遍"，① 宣州、润州、杭州等处，也受到一些掳掠杀伤。但战事很快平定，破坏较小。《资治通鉴》卷二二二上元二年说："平卢军（指田神功）大掠十余日。安史之乱，乱兵不及江淮，至是，其民始罹荼毒矣"。我们知道，唐代江淮地域范围是包括芜湖在内的。就是说，刘展之乱对芜湖造成了一定的影响。

（三）征调防秋兵与宣歙弩手

安史之乱后，唐朝在皖南设立宣歙观察使，辖宣、歙、池三州。以宣歙池三州构成的宣歙镇，是唐朝后期财力雄富之镇，也是唐朝廷财政收入依靠的东南八道之一。当时吐蕃（西藏地方政权）内侵，威胁关中，唐朝廷常从各地方镇征调防秋兵（所谓防秋，即是赴边疆地区驻防的军队）。据《册府元龟》卷四八四《经费》条说："大历二年（767年）九月，吐蕃寇灵州……诸道每岁皆有防秋兵马，其淮南四千人、浙西三千人、魏博四千人、昭义两千人、成德三千人、山南东道三千人……剑南西道三千人、剑南东川两千人、鄂兵一千五百人、宣歙三千人、福建一千五百人……恐路远，往来增费，各委本道节度观察使、都团练等使，每年当使诸色杂钱及回易利、酒、赃赎钱物，每人计二十千。每道各据所配人数都计，市轻货送上都左藏库贮纳。"这里宣歙防秋兵的数量仅次于淮南、魏博两大镇，而与浙西、成德、剑南西道等大镇相同，居于其他各镇之上，要出兵三千人。唐代后期，每个兵士一年军费支出二十贯，总计每年宣歙镇要出六万贯军费进行防秋。

唐代宣歙镇的军队数量有多少，史料不足，一时还弄不清楚。不过，宣歙镇的弓弩兵号称"天下精兵"，② 却是事实。兴元元年

---

① 《旧唐书》卷一二四《田神功传》。
② 《玉海》卷一五〇《兵制·唐静塞弩》。

（784 年），宣歙弩手北上中原，迫使叛将李希烈仓皇撤围宁陵，解除了淮西军阀李希烈对运河通航的威胁。在冷兵器时代，弩是一种利用机械力射箭的弓，主要由弩臂、弩弓、弓弦和弩机等部分组成。虽然弩的装填时间比弓长很多，但是它比弓的射程更远，杀伤力更强，命中率更高，因为不需要在上弦的同时瞄准，所以对使用者的要求也比较低，是古代一种大威力的远距离杀伤武器，据说强弩的射程可达 600 米。唐代皖南冶铜业发达，金属加工制造业兴盛，宣州有军械作坊，生产规模颇大。"元锡为宣州观察使，长庆元年（821 年），进助军绫绢一万匹，弓箭器械共五万二千事"。① 元锡进助国家的军用武器，这些弓箭器械应包括弓弩在内，一次就达到 52000 件，可以管窥宣州军械作坊的生产制造能力。

三、黄巢农民军在皖南的活动

唐朝末年，宦官擅权，藩镇割据，贪官污吏横行，政治极其黑暗腐败。在繁重的赋敛、差役下，人民遭受很大的痛苦，人民群众忍无可忍，便举起了起义的大旗。

乾符元年（874 年），濮州（今山东濮县东）人王仙芝聚众数千，在长垣发动起义。不久，曹州冤句（今山东菏泽市）人黄巢聚众数千人响应。起义军打败唐朝的军队，攻克曹、濮二州，队伍发展到几万人。王仙芝和黄巢都贩过私盐，他们熟悉交通路线和各地情况，还具有与官军斗争的经验。史言黄"巢善骑射，喜任侠，粗涉书传，屡举进士不第"，② 兼有士人和豪侠的身份。王仙芝、黄巢领导的农民军从今山东转战河南，接连攻下了许多州县，势力一直发展到江淮地区。乾符四年（877 年）十月，王仙芝

---

① 《册府元龟》卷四八五《邦计部·济军》。
② 《资治通鉴》卷二五二。

别部自舒州渡江进入江南，攻打池州至德、青阳，宣歙观察使王凝派军阻击，"以死缀贼（指农民军），故青弋江得恣为备"。乾符五年（878年）三月，黄巢率领起义军沿着历来用兵渡江的要道，自和州、采石间渡过长江，到江南活动。① 黄巢农民军没有自采石直趋宣州，而是绕道先去进攻宣州以西一百里的南陵，我们知道，黄巢自起义以来，一直采取流动作战、避实击虚的战术，即打得赢就打，打不赢就走的方针。黄巢大概知道宣州城内敌军较多，也就不会屯兵宣州城下，大量消耗自己的力量。黄巢计划先打南陵，引诱宣州城内敌军外出，即可以在南陵消灭敌军，又可以削弱宣州防御力量，为农民军进攻宣州做好准备。果然不出黄巢所料，宣州方面派出王涓率领的唐军（原驻扎滁州的部队），一日急行军一百二十里，至南陵，王涓大概意气满满，以为黄巢农民军是"流寇"式乌合之众不堪一击，唐军没有"会食"即摆开阵势，急于立功，结果被黄巢农民军击败，唐将王涓阵亡。败军四五千人在唐监军率领下，返回宣州城，"伤痛之声与尘埃相杂而至。江南雅自怯，独幸北军以为固，及闻涓败，相顾失色"。② 同年四、五月，黄巢农民军进攻宣州不克，转向浙东，开辟仙霞岭山道700里，进入福建。又由福州出发，进军广东，乾符六年（897年）五月，占领华南最大贸易港广州。接着由岭南北上，编竹筏数千，沿湘江而下，破潭州（今湖南长沙），克江陵（今湖北荆州），北上荆门受阻后，沿江东下，先后进攻鄂、饶、信、杭、衢、宣、歙、池等十五州，活跃于皖南、江西。这时唐朝调名将高骈为淮南节度使，兼江淮盐铁转运使、诸道兵马都统，拥重兵驻于扬州。高骈为了阻止农民军北进，先发制人，遂派张璘主动过江进击黄巢。张璘是高氏手下的一名骁将，具有一定的战斗力，农民军与

① 方积六：《黄巢起义考》，中国社会科学出版社1983年版，第67页。
② 《司空表圣文集》卷一《纪恩门王公宣城遗事》。

他接触后，连遭挫败。广明元年（880年）五月，黄巢在信州（今江西上饶），部众又感染疾疫，死了很多人，在这万分困难的关键时刻，黄巢决定计取张璘。他一面"以金啖璘"，用利诱的办法瓦解他的斗志；一面致书高骈，求他保奏自己，给一个官职，有意麻痹敌人。高骈既不欲昭义、感化、义武等道兵分其功，又打算"诱致"黄巢，故答应为黄巢求节铖。黄巢探知诸道兵都已撤走，立即在五月发动突然袭击，结果，张璘败死，"巢势复振"。信州之捷是一次很重要的战役，张璘之死和所率精锐的歼灭对高骈是一个致命的打击，这一战为渡江北上打开了通路。广明元年（880年）六月二十八日，黄巢攻占宣州，直趋长江南岸，想来经过芜湖一带，只是史籍没有记载黄巢农民军在芜湖的活动而已。七月，十五万农民军自采石飞渡长江，屯兵天长、六合，进至离扬州城不到五十里的地方，吓得高骈闭城不敢出战。九月，黄巢农民军跨越淮河，史称自淮以北，整众而行，不掠财货，惟招募丁壮为兵，转战西行，直捣唐朝统治老巢长安。

黄巢大起义前后历时十年，转战南北，波及全国十二个省区，行程数万里，规模之大是空前的，对唐末江南社会的影响也是深远的。黄巢在江南流动作战，摧毁了江南原有的统治秩序。黄巢起义大军走后，江南便大乱，大小草头王蜂拥而起，董昌、刘汉宏、杨行密、钱镠等豪强纷纷起兵，只要有点实力者，都能抢块地盘，割据称雄，江南亦出现军阀兼并混战的局面。总之，富饶的江南便不再为唐朝廷所有，唐朝廷所依仗的经济命脉被摧毁，江南八道已呈半独立状况，已经显示出五代十国军阀混战的征兆，这是唐朝气数已尽、走向灭亡的先声。

皖南有两个地方因黄巢南下时北方移民集中而得以闻名。一个是池州建德（今东至县）的桃源，虽然"山溪源远，人迹罕至"，但是，在"五代之际，衣冠士族避难于此，皆获免焉"，故被称为桃源。另一个是歙县西南的黄墩，"黄巢之乱，中原衣冠避地者有相与保于此，及事定留居新安，或稍散之旁郡"。原居沛县（今属江苏）的朱氏，唐宗室成员李氏，都是唐末因避地而留居黄墩的北方移民。① 弘治《徽州府志》卷二《地理·古迹》："簧墩，在今县西南三十里，以其地多竹，故名。先隶休宁，后割属歙。唐广明中，巢贼经过之地，遇有黄姓则不杀，衣冠大姓避地者改为黄墩，相保于此，后平定稍迁居他处"。徽州地方志记载了黄巢农民军的活动，而芜湖地方志疏于记载，这不能不说是一件遗憾的事情。

四、杨行密争夺芜湖

黄巢起义后，唐中央政权已经摇摇欲坠，名存实亡。南北各地藩镇割据混战。"江、淮之盗贼群聚，大者攻州郡，小者剽闾里"。② 各霸一方，群雄角逐。这里我们谈一谈杨吴政权的创立者——杨行密其人其事。

杨行密（852—905），庐州合肥人，家世为农。杨行密少时孤贫，有膂力，能日行三百里，为本州步行急递文牒。早年曾参加江淮农民起义军，后被收编为州兵。中和三年（883 年），杨行密占据庐州，拥有了一支活跃于淮南的军事力量。③ 光启三年（887年），杨行密乘毕师铎、秦彦等造成的扬州之乱，进兵扬州，加入了对淮南的争夺。与此同时，孙儒率领的淮蔡军南下江淮，杨行密于是放弃扬州，退回庐州。文德元年（888 年）八月，杨行密深

---

① 吴松弟：《中国移民史》第三卷，福建人民出版社 1997 年，第 277 页。

② 《旧五代史》卷一三三《钱镠传》。

③ 此处"淮南"指唐淮南道，唐淮南道统辖扬、楚、滁、和、庐、寿、濠、舒八州。

恐庐州难保，打算另谋出路，采纳谋士袁袭的建议，进取宣州赵锽。当时宣歙观察使赵锽主力两万屯守曷山（今芜湖市鸠江区四褐山，公元1997年"褐山揽胜"被评为芜湖新十景之一），杨行密率部自糁潭（今无为县境）渡江，进入芜湖一带，急趋曷山脚下，安营扎寨，坚壁不战，乘其懈怠之际，大败赵锽部将苏塘、漆郎，攻拔曷山，招降宣州。唐朝廷遂以宣歙为宁国军，以杨行密为宁国军节度使。附带说一下，《芜湖市志·大事记》（社会科学文献出版社1993年版）关于杨行密在四褐山击败赵锽，进取宣州，写作"唐僖宗中和三年（883年），"恐有误。此误盖出之嘉庆《芜湖县志》卷一八《俪事志·戎事》和民国《芜湖县志》卷二〇《武备志·战事》。另外，杨行密又在南陵吕山打了一仗，"唐大德初，杨行密自铜官济江，败宣州兵于吕山，遂克宣州，即此"。① 这里"大德"年号误，应为"文德"。

　　大顺二年（891年）冬，孙儒引兵逼宣州，孙儒部十倍于杨行密军，号称五十万，屡败杨行密之兵。强敌压境，局势严峻。为击败孙儒，杨行密问计于部属。部将刘威、李神福说："儒扫地以来，利在速战。宜屯据险要，坚壁清野以老其师，时出轻骑抄其馈饷，夺其俘掠。彼前不得战，退无资粮，可坐擒也！"② 杨行密听从部议，坚壁清野，同时派遣张训进驻安吉（今属浙江），以断孙儒粮道。孙儒军中食尽，士卒疾疫大作，走投无路，乃分兵掠粮。杨行密趁势纵兵出击，儒军大败，余部除由刘建锋、马殷率领，逃向江西、湖南外，其余皆降。孙儒本人亦被擒斩。此次宣州战役，杨行密以少胜多，以弱胜强，也是成功运用了"以逸待劳，后发制人"的战术。宋、元之际杰出史学家胡三省总结杨行密战胜孙儒的原因说："光启三年，孙儒始与行密交兵，至是而

① 民国《南陵县志》卷五《舆地志·山川》。
② 《资治通鉴》卷二五九。

败。孙儒以十倍之众攻行密，其智勇亦无以大相过，而卒毙于行密者，儒专务杀掠，人心不附，又后无根本。行密虽为儒所困，分遣张训、李德诚略淮、浙之地以自广，又斥余廪以饲饥民，既得人心，又有根本，所以胜也"。我们认为还有重要一点，即是杨行密善于治军，用兵有术。

杨行密重视安定内部，保境息民。宁国节度使田頵为行密旧部，功勋卓著，行密表为宁国节度使，驻守宣州。田頵恃其兵强财富，好攻取，行密每加抑止。乾宁二年（895年），两浙钱镠部将徐绾在杭州发动叛乱，请师于田頵，田頵趁机夺取杭州，便率兵前往。杨行密竭力制止，迫其退师。田頵屡次请求把池、歙两州划归他的辖区，行密又不允许。田頵怨望不满，遂联合行密妻弟朱延寿、骁将安仁义举兵叛乱，并求朱全忠派兵相助。杨行密先诱斩朱延寿，然后进围宣州，擒杀田頵，再取润州，诛安仁义。杨行密迅速平定三叛，固然是他才识过人，深得民心，但这场拼搏又是保境息民与滋事攻掠两种路线的斗争，杨行密除三叛，不可以看成是杀功臣，而是排除了干扰，为江淮保持长久的安定局面提供了有利的条件。

天复三年（903年）八月，田頵在宣州举兵叛乱，杨行密急调鄂州（今湖北武汉）前线的李神福的水军东下，另以王茂章、徐温等进攻润州安仁义；另一方面，求兵于钱镠，钱镠派将屯驻宣、润二州附近，阻断了田頵、安仁义南逃之路。李神福率领的水军在吉阳矶（今安徽东至县西北）遭遇田頵的部将王壇、汪建的水师，李神福乘风纵火，焚烧敌人战舰，王壇、汪建大败，"士卒焚溺死者甚众"。又战于皖口（今安庆市西），再一次击败王壇、汪建的水师。田頵闻讯，亲帅水军迎战于芜湖一带，李神福临江坚壁不战。杨行密又派出台濛率领步骑直趋宣州，"田頵闻台濛将至，自将步骑逆战，留其将郭行悰以精兵二万及王壇、汪建水军屯芜湖，以拒李神福"。① 当时芜湖有"芜湖口"之称，是宣州的门户。"盖滨江镇戍，芜湖实为要冲也"。② 据说李神福与田頵部相持，即在芜湖四褐山。芜湖周围群山不高，数四褐山最高，海拔132米，滨江耸立，突兀陡峭，山高势险，控制江面，为历代兵家必争之地。再说台濛进兵宣州，深知田頵宿将，久经沙场。所以行军安营，小心谨慎；分兵为数部，更番列阵，整军而后进，以防备突然袭击。十月，台濛与田頵开战于广德，台濛以田頵部将皆是杨行密部下，假装有杨行密的书信告知田頵部将，因田頵部军心动摇，纵兵击之，田頵败走。又战于黄池，台濛根据地形，预先安排了三处埋伏，与田頵交战，"濛伪走，頵以为实怯，追之，伏发，大败，仓卒还宣州城守。濛随引兵围之。頵趣召芜湖兵还，不得入"。③ 十二月，田頵率敢死队数百人出战，台濛又佯退示弱，等到田頵的部队出城，发起冲击。田頵奔回，不料护城河上的桥塌陷，惊动了田頵的战马，台濛就势斩之。这样，台濛克宣州，田頵在芜湖的军队也就全部投降了。

五、南唐烈祖与吉祥寺

杨行密去世后，杨氏诸子都是些政治庸人，只知搜刮民财，过着纨绔子弟的生活，大权旁落，政归徐温。徐温居于金陵，命其子徐知训驻广陵，处理日常事务，大事则由他决断；又命养子徐知诰驻润州，以为呼应。于是，吴国内外，悉为徐氏集团控制。

徐知诰（888—943），字正伦，小字彭奴，徐州人。原为徐温的养子，是在战争中掳来的一个孤儿。徐温是杨吴政权中卓有才

① 《资治通鉴》卷二六四。
② 《读史方舆纪要》卷二七《江南太平府》。
③ 《十国春秋》卷五《台濛传》。

识的人物，徐知诰生活在他的身边，不免受到一些言传身教的熏陶。十多岁时，徐温就让他总管家务，有意识地培养他的组织能力，后随徐温参加政治活动。到杨吴天祐九年（912 年），年仅二十四岁的徐知诰担任昇州（今江苏南京）刺史，他非常有人缘，最善民政，治理地方卓有成效。但是，徐知诰在徐氏集团里受到徐温亲生儿子的排挤，徐温嫡长子徐知训骄横贪暴，为所欲为。"知训及弟知询皆不礼于徐知诰，独季弟知谏以兄礼事之。知训尝召兄弟饮，知诰不至，知训怒曰：乞子不欲酒，欲剑乎！又尝与知诰饮，伏甲欲杀之，知谏蹑知诰足，知诰阳起如厕，遁去，知训以剑授左右刁彦能使追杀之；彦能驰骑及于中途，举剑示知诰而还，以不及告。"① 相传徐知训欲杀徐知诰的地方就在芜湖吉祥寺，我们知道，吉祥寺在芜湖县西五里，濒临大江，北倚鹤儿山，东晋永和二年（346 年）建立，为芜湖最古老的佛教庙宇。"或云南唐李昇遁迹此院北山古松下，以免知训之祸。后昇有国，名院为永寿"。② 徐知诰后来改名李昇，"此院北山"的北山即为鹤儿山，昔时冈峦起伏，松竹茂密，今为中共芜湖市委党校校园。

徐知诰躲过芜湖吉祥寺一劫后，自徐温死后，遂掌握了吴国军政大权。到天祚三年（937 年），采用禅让的形式代吴自立，建立南唐，改年号为昇元，以金陵为都城。不久，他又复姓李氏，改名昇，李昇就是南唐的开国皇帝，庙号烈祖。南唐建国之后，尤其是李昇统治的晚期，由于"江淮间连年丰乐，兵食盈足"，国力强盛。这时不少人都主张对外用兵，开拓疆土。这是此时南唐君主们议论最多的一个课题。为此，李昇曾召集一次讨论会，以期明确目标、统一认识。冯延己等认为闽、楚、吴越已经衰弱不堪，故"兴王者之功，当先事于三国。"李昇深不以为然，发表了

① 《资治通鉴》卷二七〇。
② 嘉庆《芜湖县志》卷二〇《艺文志》。

长篇报告，阐发了统一战略。首先，李昪驳难了冯延己的浮躁情绪，认为这样势必导致南方诸国的联合对抗，使南唐陷入持久的消耗战之中而失去统一的机会。接着，李昪要求群臣团结一致，在暂时安定的外界条件下，宽刑平政，发展经济，训练部队，增强国力。最后，李昪指出，一旦"中原忽有变故，朕将投袂而起，为天下倡。倘得遂北平僭伪，宁乂旧都，然后拱挹以召诸国，意虽折简可致也"。这就是李昪深思熟虑的统一战略，① 简单地说，就是保境息民，积蓄实力；趁中原有变，全力北伐，完成统一。

我们知道，差不多与南唐建国的同时，石敬瑭在契丹的恩准下，于中原建立了后晋，这就决定了后晋统治不稳，危机四伏的命运。一方面是方镇屡屡叛乱，想做石敬瑭第二的大有人在；另一方面，契丹贵族野心勃勃，其南进中原已在旦夕之间。因而，广大中原人民对后晋的统治极为不满，一场变乱的暗流正在中原蔓延。这正是李昪预感到中原不久将出现重大变故，对此，他坚信不疑。昪元七年（943 年）李昪病殁前，一再告诫太子李璟切不可用兵南方诸国，竟"啮齐王（中主）指，至血出，属之曰：他日北方当有事，勿忘吾言。"② 遗憾的是，这个遗愿落空了。中主即位后，在江淮土著政治集团的操纵下，立刻发动了对闽和楚等国的战争，陷入泥淖而难拔。这时，中原发生了契丹南侵的严重混乱，北方义军甚至请求南唐出兵中原。但中主新败之后，国力不足，只得在哀叹中坐失千载难逢的时机，这是很令人痛惜的。

南唐烈祖李昪是对中国历史的发展有功劳的人物，也是一位值得赞扬的"好皇帝"。李昪不仅是一位审时度势的割据君主，还是一位器略恢宏的战略家。他从一介平民跻身于统治阶级最高层，与其早年经历以及在芜湖等地的磨难不无关系。

---

① 王永平：《略论南唐烈祖李昪》，《扬州大学学报》1988 年第 2 期。
② 《十国春秋》卷一五《南唐烈祖本纪》。

六、唐五代芜湖驻军

我们知道，芜湖在唐代为当涂属镇。《新唐书·地理志》记载
"当涂有采石戍。有采石军，乾元二年（759 年）置，元和六年
（811 年）废"。没有记载芜湖驻军。但芜湖地处"江津之要"，有
"芜湖口"① 之称，和平时代大概没有驻军，战乱动荡时代就有驻
军。唐末天复三年（903 年），杨行密旧部田頵在皖南发动叛乱，
即在芜湖驻有军队。

七、将帅留痕篇

（一）山上丛祠李卫公②

辅公祐起兵反唐是在天下统一、民心思定的时候，所以失败
很快。民间传说双方激战时，辅公祐放出三千"火鸦阵"，又打开
白马山紫燕洞，吹口烟火进去，登时，千万只紫燕飞出，扇动着
翅膀，带着火苗紫烟，铺天盖地，飞向唐军，唐营一片火海，眼
看全线溃败，李靖骑着白马，跃入江中，突然李靖跨白马腾空而
起，那白马昂首摆尾，抖一下鬃毛，撒下一阵阵雨珠，顷刻之间，
烟消火灭，紫燕纷纷落地摔死，"火鸦"兵也现出原形，都是纸剪
的人形。芜湖农田禾苗大半被"火鸦"、"火燕"烧焦，李靖又驱
使白马"滴马齾为龙师"、"代龙母行雨"，救治了禾苗，滋润了草
木。芜湖民间为什么流行这种传说，因为李靖大破辅公祐，使江
南人民得以安居乐业。又因辅公祐被擒于湖州，湖州人民为李靖

---

① 杜牧：《樊川文集》卷四。
② 欧阳玄：《神山时雨》诗句，载乾隆《太平府志·艺文志》。

立了庙，芜湖神山也有李卫公祠。南宋乾道年间，芜湖大旱，县令沈端节前往神山李卫公祠求雨，两日后降雨，"是岁大稔，余穗楼亩"。① 沈端节重新修建祠宇，还在祠边建志喜亭。神山李卫公祠，于是成为芜湖人民祈雨的庙宇，"自宋元迄今，甘霖屡降，永为水旱雩宗"。② 膏泽一方，雨润一方，被认为是李靖显灵降雨，古人有"此山膏泽由来盛，愿广余滋被八方"的诗句，这也是芜湖古八景之一"神山时雨"的由来。

（二）杨行密、台濛在芜湖

唐末，杨行密为夺取宣州，曾驻扎南陵三里镇吕山，操练兵马。吕山西麓有一开辟平坦的山梁，即当年杨部操练兵马之处，故旧名"马道子"。杨行密的部将台濛，在芜湖亦有一定的影响。嘉庆《芜湖县志》卷一《地理志·山川》："鲁明江在县西南三十余里，与繁昌县分界。《一统志》云：鲁仲明居此，故名。十二国纪年：孙儒与杨行密战，行密将台濛于鲁明港作五堰，以轻舟给行密军食，即此"。《读史方舆纪要》卷二七《江南太平府》："鲁明江，县南三十余里。……亦曰鲁港。《十国纪年》：孙儒与杨行密争宣州，行密将台濛于鲁江作五堰，以轻舟给行密军食"。就是指台濛在鲁港河连筑五道堰，节节拦蓄江水，提高水位，保证了军粮运输。杨行密所以一胜再胜，主要得力于鲁港五堰水运军马粮草的接济。后来台濛又在宣州击败田頵，被杨行密任为宣州观察使，所以后世称"台濛五堰"。

① 嘉庆《芜湖县志》卷二〇《艺文志》。
② 嘉庆《芜湖县志》卷二一《艺文志》。

八、轶闻趣事篇

安史之乱期间，由于张巡、许远死守睢阳（今河南商丘），阻遏了安史叛军的攻势，保全了江淮、江西一带，于是江淮地区的物资可以经由汉水输送到灵武（今宁夏灵武市，时为朔方节度使驻节之所）和唐朝的地盘，唐室依靠江淮地区的物资才维持下去，终于平定安史之乱，所以张巡、许远的死守睢阳对于整个战局而言，是贡献极大的。而张巡、许远等人的壮烈气概，亦历史上仅见，史载"巡神气慷慨，每与贼战，大呼誓师，眦裂血流，齿牙皆碎"。所以当他们死后，立即受到人们的崇祀。唐宋时期芜湖河南（青弋江以南）即有张巡庙，后来多次维修。明代在县治后面建双忠庙，以方便河北居民的祭祀。万历三十九年（1611 年）又改建在北门内，万历四十四年（1616 年）遭受火灾，百姓纷纷捐款重建，又于万历四十六年（1618 年）竣工。崇祯四年（1631 年）又在庙前建造一座石牌坊，高 7.8 米，宽 7.9 米，四柱三间，粗晶大理石质。牌坊正面镌刻"完节承天"，背面镌刻"双忠炳日"。咸丰年间，庙毁而牌坊独存。石牌坊历经三百余年风风雨雨，公元 1995 年 11 月 7 日，在台风袭击下倒塌。此外在濮家店、神山、山口铺等处都有双忠庙，"邑东南地名山口，有庙，谓之老菩萨，即睢阳张公之神。以菩萨称，又以老称，奇矣。每年三月二十五日以为神诞，乡城男妇进香者坌集，必杀鹅为飨"。① 双忠庙又名天曹庙，芜湖保丰圩北埂（今芜湖县六郎镇北陶村）有一座天曹殿，占地约一亩左右，前八间为前殿，后三间为正殿，中间有天井。正殿供奉张巡菩萨木像，旁边站立四大部将。张巡前

---

① 嘉庆《芜湖县志》卷一《地理志·方言》。

面，安禄山的舅舅一手捺着安禄山的肩膀，另一手按着他的头，似在听候张巡的处置。相传"神最著灵，香烟鼎盛，嘉庆元年圩人陶俊偕族众重修"。① 芜湖民间以张巡为驱鬼辟疫之神，或者指为瘟神。"俗曰瘟司庙，亦名暖庙。凡有疾疫必祷，祷必应，赫然尊奉之至"。② 人们把祛病消灾的希望寄托在张巡身上，反映了民间宗教的实用性。

---

① 嘉庆《芜湖县志》卷三《祀典志·庙祠》。
② 嘉庆《芜湖县志》卷二〇《艺文志》。

宋元时期的芜湖移民

我们知道，在皖江地区，芜湖历史上不仅是商业城市，而且是移民城市。汉唐以来，即有中原移民南下，定居于芜湖沿江一带，[①] 宋元时期亦是如此，并且为移民重要登陆地之一。"皖江文化本质上是一种移民文化。安庆一带是主要的移民区域，在元末明初的近一百年间，迁往安庆府的移民总数约为32.6万人，占同期安庆府总人口近八成"。[②] 本文探讨宋元时期芜湖移民及其后裔的状况，研究的区域以现在芜湖市行政区划为标准（公元2011年8月前），希望能对皖江东部地区移民深入研究，有所裨益。

一、芜湖移民

据记载，北宋时期就有一些官宦士大夫移居芜湖。石待问，四川眉山人，宋仁宗时为太平州通判，乐其风土，致仕后卜居芜湖。"戒子孙当以儒学忠义自立，尝曰：吾生平仕宦，十步九蹶，命也，顾身无玷缺也。皇祐三年卒，知州黄庭坚表其墓"。[③] 待问子禹勤，皇祐元年（1049年）进士，官至知抚州。禹勤孙石懋，

---

① 张宪华：《东晋南朝皖南的社会经济》，安徽师范大学学报（人文社科版）2004年第4期。

② 章征科：《近世皖江文化的特性探析》，《皖江文化与东向发展》，合肥工业大学出版社2007年版，第44页。

③ 乾隆《江南通志》卷一七三《人物志·流寓》。

元符三年（1101年）进士，崇宁年间又中博学宏词科，仕至密州教授，年三十四卒，著《橘林文集》行世。还有南宋绍兴八年（1138年）的芜湖进士石迈，我怀疑也是石待问家族成员。宋英宗治平年间，担任过大理评事的陶旺，当涂横山人。因先世有别业在芜湖东莞村，遂迁而定居。陶旺玄孙陶旸，号敬斋，从理学大师朱熹游，朱熹作《敬斋铭》加以勉励。陶旸孙陶炽，登绍定二年（1229年）进士，景定初，由两浙转运判官兼权知临安府，寻除大理少卿，后以中大夫直徽猷阁，提举建康崇禧观，讲学东川书院。陶炽孙陶居仁，为镇江录事参军。元军攻镇江，官员纷纷投降，居仁被执不屈，慷慨成仁，事载《宋史》列传。陶氏后裔兴旺，分为五大支，散居芜湖、宣城、南陵一带。在芜湖县境，今天的白沙圩、十连圩、保丰圩都有陶姓村落。浙江义乌人骆邦直于北宋年间任芜湖知县，解任后定居咸保圩，"爱其泉甘土美，且无市廛，是可为吾子孙读书处。因买推官黄公田，筑室为终老焉。尹以寿终，归窆于圩西潭子湾，其子绍宾庐于墓左以终其丧"。① 绍宾后舍墓旁地建龟龙院，立碑石。骆氏也是后嗣藩衍，其族甚众，世代定居于此。

北宋末年的靖康之乱，引起了我国历史上大规模人口南徙高潮，史称"靖康南渡"。这次南迁从靖康元年一直到元灭南宋，历时150多年，移民集居地也遍及江淮、湖广、浙闽等地。就芜湖而言，迁入芜湖的不仅有北方移民，而且有南方区域的移民。不仅有张孝祥等上层移民，而且有大批农民、军人以及手工业者等下层移民。吴松弟教授著作中："表9—2 靖康乱后南迁的北方移民实例（江南部分）皖南诸州"条下仅举芜湖移民张孝祥等4例，未及繁昌。宣州仅举2例，未及南陵。② 因此很有系统总结的必

① 嘉庆《芜湖县志》卷二〇《艺文志》。
② 吴松弟：《中国移民史 第四卷 辽宋金元时期》，福建人民出版社1997年，第309—310页。

要。我们知道，绍兴初年，和州（今安徽和县）人张孝祥因金军
进逼随父迁居芜湖。和州张氏又有一支迁到芜湖行春圩（今芜湖
县方村镇），这一支后来一分为二，"上七房"后裔居住在行春圩
梅村一带；"下七房"后裔居住在行春圩旗杆村一带。韩元杰、韩
元象兄弟，颍川（今属河南）人，北宋大臣韩亿五世孙。韩元杰
早年在淮北参加抗金战争，深受大将刘光世的器重。绍兴和约
（1141 年）后，元杰兄弟寓家芜湖，"始至，橐无余金，经理数
年，遂至饶裕。乃为义产以赡贫族，处里衔恂恂如也。朝廷思其
才，欲大用之，绍兴二十六年以疾卒，年五十"。① 陆同、陆世良
父子，和州人，卸任后卜居芜湖，在芜筑介清堂。"家藏书万卷，
皆手自校雠。父子俱以寿终"。② 王淇，字德机，豫章（今江西南
昌）人。"绍兴初江右值李成之乱，淇携妻子避地芜湖，因家焉。
资性敏悟，书无不读，于诗、春秋尤精。……力耕之田，不足供
伏腊，淇未尝屑意。宾客过者，觞咏终日，藏书数千卷，皆手自
校雠，自号筠谷老人，年八十卒"。王淇有三子，王　，淳熙十一
年（1184 年）进士。王框，绍熙元年（1190 年）进士。王梠，虽
未登进士第，但受特恩为官，并与诸名士交往，著有《仙居集》。
又有王玉岩，杭州人，宋国子博士。"淳祐间为诸生黄恺伯等上书
事，弃官来芜湖，遂家焉，事载宋史"。③

　　南渡人口最广大的阶层，自然要推农民。绍兴三十一年
（1161 年）冬，张孝祥罢职归芜，满腔悲愤，乃踏雪登山，作
《赭山分韵，得成、叶字》诗："万生纷不同，宿昔有定业。哀哉
彼迁民，苦事乃稠叠。累累庭际炊，采采涧底叶。问渠胡为来，
悲泪不盈睫。连年避胡乱，生理安可说？今年更仓皇，匄藥亦焚

---

① 康熙《芜湖县志》卷一二《流寓》。
② 康熙《芜湖县志》卷一二《流寓》。
③ 康熙《芜湖县志》卷一二《流寓》。

劫。扶持过江南，十口四五活，斗米六百钱，兼旬又风雪。前时
诏书下，振廪要周浃，圣主甚哀矜，我曹空感咽。愿今兵革罢，
复得理归楫，传闻菰蒲中，相杀血新喋。本是耕田农，饥寒实驱
胁，须公语县吏，早与支米帖"。[①] 诗人与"连年避胡乱""本是
耕田农"的移民对话，对他们痛苦遭遇十分同情。我们知道，芜
湖县官赵彦堪曾报请上司批准，拨用常平米赈济移民。[②] 南宋政府
对于南来的移民，或是租给他们以耕地，努力安定他们的生活，
借以恢复和发展农业生产。史载芜湖白沙圩一带，南宋时期就有
大量移民定居耕种。他们带来了丰富的生产经验，辛勤节俭，重
建抛弃了的家业；对于芜湖地区农业经济的恢复和发展，作出了
重大贡献。

　　在北宋末期，居住在山东曲阜的濮家弟兄七人，他们都是精
于炼钢制器的铁工。因为金人南侵，濮家弟兄激于民族义愤，相
约分别从军，从事修造武器，以与金人抗战。在分散之前，特制
铁符一方，分作七块，弟兄各执一块，作为日后会见的符证。弟
兄七人分别随军转战南移，于南宋初期分别在七处安家立业。到
芜湖安家的是最幼的老七，濮氏宗谱称之为南来始祖"其七公"。
濮七到了芜湖以后，先住宋城东南郊的濮家店镇，以便取用上游
清水河的水，开设冶坊，炼钢制器。濮家店镇原名百家店，后因
濮家生产的铁器，质量优良，业务发达，由群众自发地改称濮家
店。濮七的后裔濮万伦，[③] 积累了丰富的炼钢经验，精于"听钢"
的技术（即敲击钢的声音，就能鉴别钢质的优劣）。这种技术流传
到清代后期，它对芜湖炼钢业的发展，曾起到一定的作用。[④] 濮氏

---

① 《于湖集》卷三《古诗》。
② 韩元吉：《南涧甲乙稿》卷二二《左奉议郎知太平州芜湖县丞赵君墓志表》。
③ 有人认为濮万伦是南宋人，今据《濮氏支谱》，万伦生活于清代乾隆时期。
④ 张九皋：《卜家与芜钢》，《安徽史学通讯》1959 年第 3 期。

后人也文采焕发，登科入仕。如濮文波，清光绪三十年（1904 年）进士，授江苏阜宁县知县，1949 年后任上海文史馆馆员。民国《芜湖县志》卷三七《古迹志》说："齐罗王墓在北乡，距城十五里大齐村齐罗山顶。齐氏宗谱称始祖洪公仕宋为驾前校尉，执殿将军，功封齐罗王。金元之变，随驾南迁，宋亡不降，率所部士卒驻于芜湖，立标定界，分田而耕。殁后为齐罗王墓，而名其山曰齐罗山。至今齐氏，春秋祭扫无间"。这是以军队形式的移民，历史上一些北方武装成员被击溃后常常会留居皖南。齐罗山今名齐落山，即今芜湖职业技术学院北校区。

二、繁昌移民

南宋初年，号称李阳冰十三世孙的李儒从当涂迁移繁昌东岛，成为东岛李氏的开基始祖。《繁昌东柳李氏宗谱》卷四《补迁繁始祖儒公传》说："公生于有宋绍圣丙子年……课学之余，嗜览形胜，故有时游及灵岩东岛，见众山环绕，奥区四塞，可以为居焉。是以购置产业，怀抱适兹乐土之愿。时势相促，不数年有宋南渡，干戈扰攘，四起烽烟，公以青山临江，首当其冲，人民难以安静，遂挈家而来于兹焉"。李儒本人就是饱读诗书的知识分子，"博古强记，善属文"。移居东岛后，确立耕读并举为家族头等大事，很有眼光。古代社会里，"耕"是生存之本，"读"是进身之阶。始迁祖李儒树立耕读结合的家风，对于李氏家族的发展，作用甚大。李儒子明五，奉父庭训，专精儒业，绍兴年间参加科考，屡试未中，于是专心教育子弟。明五子李继，"天才骏发，家学渊源"。于南宋淳熙十一年（1184 年）考中进士，成为繁昌东岛李氏第一位进士，李继后任福建莆田县令，清冤狱，戢豪右；德政在民，口碑载道。为官三年，不幸以疾卒官，归葬家乡。

繁昌汪桥徐氏来自南宋绍兴年间严州淳安县梓桐乡虞坑里（今属浙江），家谱说邦绶、伯振兄弟负诗书出游至繁昌，止汪桥，于金峨上乡教授子弟。后有富人居金峨河之阳，招伯振为婿。伯振渐富有，因念其兄邦绶尚未婚娶，乃请人说合，往婿于铜陵石垣（钟鸣）胡氏。徐伯振遂落居繁昌汪桥，被尊为汪桥徐氏始迁祖。据民国三十七年《繁阳金峨乡八分徐氏续修宗谱》卷八《汪桥地志》云："汪桥在白马山东，有小涧，西自分流岭，行五里，过范冲。循五峰山麓，当白马山南迤麓东注，曲折行十余里入金峨河。又有涧水出东山后谷，谷中有泉，冬夏常盈，甘寒可饮。溪行一里余，过东山前，西并五峰，北注东折入小涧。二水合流，并势东出，汇汪桥下，深不可涉。旧以木为桥，随毁随建。……昔徐氏出入，咸自汪桥往来郡县中。今多循南山，行桥固在。汪桥名徐氏，及今三百年余，以名闻远近，汪桥徐氏为旧家。"① 文中提及的白马山范冲，今为繁阳镇范马村。家谱又说：汪桥徐氏"为生不习他技术，独以诗书耕凿为本业，上以是为教训，下以是为学誓，不为迁从。故子孙至今皆能攻劳苦，甘淡薄，历仁义，重廉耻，各擅清名立门户，不为愧耻辱负祖考"。汪桥徐氏生活六世后，人口繁衍。七世子孙又迁往繁昌西南丘陵山区，如中分村、八分村、高塥等地。这些村落都是溪涧交错、土地肥沃的山间盆地，如八分村腹地广阔，土产丰富，无畏旱涝，堪称福地。"中分村，云山四面，实如形胜之区。由城十余里，直抵岭衢，山回峰转，如翅之展，如翼之舒，而结束于村之北隅者，旧有步云亭在焉。入其中，豁然开朗，物色清幽。……其秀拱于村前，若图若画，佳气葱茏者，西湖山也。其两溪合抱，映带左右，环绕田畴，形如璧水者，十亩湖也。宗先人贤八公由汪桥卜居于此，钟山间

---

① 《汪桥地志》为徐氏后人、明成化进士徐杰撰写。

之灵秀，萃胜地之英奇，宜乎数传后瓜瓞绵长，蔚成巨族"。① 贤八公是汪桥徐氏七世后裔，中分村的始迁祖，时当元末明初。值得一提的是，汪桥徐氏在明代出了两名进士，一为成化二十年（1484年）进士徐杰，官山东淄川令。一为嘉靖二十年（1541年）进士徐贡元，仕至户部侍郎，历官十三任，清白无二，与海瑞齐名，号称天下四君子。现在的汪桥徐氏以中分徐、八分徐为主体，人口众多，散居繁昌西南，已传至第三十代。

宋元时期迁入繁昌的移民数量不少，除了东岛李、汪桥徐以外，还有孙村孙氏，三梁吴氏，三山姚氏，保大圩杨氏、潘氏，龟山鲁氏，前村章氏等等。据说南宋建炎年间，孙世安夫妇随宋高宗渡江，选定繁阳（繁昌）龙华春谷乡暂居避难。孙世安夫妇见"繁阳龙华春谷乡，山则有红花映秀，水则有丹桂流芬，因于钳口之地家焉。"日后孙世安在这里子孙繁衍，分居在春谷乡官庄湖前、中、后三村，后人就统称三村为孙村，所以《孙氏宗谱》称孙世安夫妇"为春谷龙华肇基之祖"。② 清道光年间，繁昌"下官庄湖（在县西二十里孙村），今已为田"，③ 反映了孙氏家族在此处决湖为田的开发。明代繁昌出了一位大官吴琛，"公先世歙人，宋季讳伯繁者，徙居太平之繁昌三梁山下，公八世祖也。曾祖可立、祖廷升皆不仕"。④ 三梁山在县城西南十五里，即今孙村镇境内。三山姚氏先由桐城迁居铜陵顺安，元末明初再由铜陵八角井分支移入三山。择竹山东麓寻求发展，迎旭日东升，乘扬波龙腾，得三山之地利，赖族民之淳勤，历百年沧桑，姚姓后嗣人丁兴旺，

---

① 民国《中分徐氏宗谱》卷首，徐德俊序。
② 俞乃思：《行走孙村》，北京艺术与科学电子出版社2008年版，第171—173页。
③ 道光《繁昌县志》卷一《舆地志·山川》。
④ 王□：《思轩文集》卷一三《嘉议大夫都察院右副都御使吴公神道铭》。

繁衍顺畅，遂成为三山第一大姓。又有文人儒生，科贡仕宦，三山姚姓成为繁阳望族。于是建街道，立牌坊，修祠堂。旧时三山姚姓宗祠大门有"八角泽长，流传祖德；三山代远，蔚启人文"之联语，又流传着"三山窑（姚）烧不得"之民谣，可见其族甚有名望。三山姚家明清时期出了两位进士，一是明万历十七年（1589年）的进士姚孟昱，一是清光绪十六年（1890年）的进士姚楷。近现代又有历史学家姚薇元（1905—1985），早年师从陈寅恪先生，1953年后任教于武汉大学，著有《北朝胡姓考》、《鸦片战争史实考》。保大圩杨氏始迁祖杨启明在北宋末年，为避辽、金之乱，离开原籍宛平（今属北京市），随父杨幼文"自北南迁，侨寓姑孰十余载，复徙繁阳。见涂溪山环水绕，美俗景佳，择卜家焉"。又云："启明公避宋末之乱，始迁姑孰，复徙繁阳，家于邑之东乡涂溪，其后，因姓更地，遂名曰上杨村。于是人藉地灵，地钟人杰，渐有成族之象"。上杨村今属芜湖市三山区。据《繁昌潘氏宗谱》（2005年朱湖堂版），保大圩潘氏也是北宋末年自金陵迁移繁昌。潘氏"继世始祖成大公，妣唐老太君，自唐宋前盛居金陵，宋之季世始迁繁阳，编户三十有六。至正之散处，各奔淮甸、泾川、春谷横山，惟始祖成大公固守弗去，以朱湖为记，故号曰潘村"。潘成大家族遭遇元末动乱，族人分散，惟有潘成大坚守家园，又被朱元璋封为金峨下乡二十六都都长，所以获得"继世始祖"的称号。道光《繁昌县志》卷一三《人物志·流寓》："宋蔡恢，字宏振，河南人，淳熙年间乡贡进士。官苏州别驾，清慎勤敏，得士民心。见南渡后宋事日非，遂挂冠归隐于峨溪，年八十五卒。今第宅犹存，文学蔡铉，其后裔也"。峨溪即峨桥，今亦属三山区。

三、南陵移民

宋元时期，南陵也是北方移民的重要迁入地。民国《南陵县志》卷三三《人物志·流寓》："宋邓道先，南阳人，乾道间官至尚书，慕南陵山水，卜宅而居。葬夫人章氏石龙山，建庵以守"。"刘有庆，号损斋，蜀郡人，初任邑主簿，遂家焉。后官至翰林待诏，子铸，登元进士"。"张万二，字良佐，吴江县人，宋末为南陵尉，百姓深爱之。宋徙都杭，吴地兵扰，因留占籍，居县西门"。"文小二，字佐甫，泾邑震山人，嘉定二年任邑主簿，居官仁爱，及考绩当迁，父老泣留，遂谢事卜居分界山"。又有北宋宰相陈尧叟，阆州阆中（今四川阆中）人。他的嫡孙陈凤任南陵教谕，值乱不得归里，寓居城北，成为北门陈氏的由来。明清时期南陵著名科举家族东门刘氏，"其先河南罗山人，在宋有提举讳祥者，扈跸南渡，徙南陵"。① 这些上层移民有的居住县城，有的居住乡村。例如，邓道先所居的石龙山，在今三里镇峨岭一带。文小二卜居的分界山，距城三十里，与泾县接壤。

南陵大姓之一的丫山孙氏据说是东吴孙权的后裔，因孙楚任池州刺史，迁居贵池柏岩。"至宋时有七大公者，以保障宁池二郡，遂于南陵黄峰之麓，改卜而居焉。嗣续滋繁，人才蔚起，文缨武胄，辉映前后。盖源远者流长，根深者枝茂，理固然也"。② 七大公即丫山孙氏始迁祖孙士林，于宋理宗宝庆年间迁入丫山境内的黄山村。《紫阳龙潭朱氏宗谱》载：始迁祖秋崖，朱熹六世

---

① 施闰章：《学余堂文集》卷一九《前嘉议大夫江西按察司按察使刘公墓志铭》，清刻本。

② 《孙氏宗谱》卷首，民国十六年纂修本。该谱藏南陵县档案局。

孙，避元季之乱，自建阳考亭徙南陵县龙潭渡。①《春谷许氏宗谱》载：派衍浙水会籍（稽），元进士思惠公分下，次子仲昌生二子，长达善，次兼善。昌司训南陵，次子兼善入赘陵之崔公理女，因居陵北染浦湖之南……尊兼善为始祖。《漳溪盛氏宗谱》载：龙臣公者，即我始迁漳淋港之嫡祖也。厥后虎臣公之曾孙鼎礼公，会宋末乱，亦迁兹土。《俞氏宗谱》载：第一世，璋公，字维珍，别号心谷。从父宦阳谷，爱风淳壤沃，遂占籍焉。生宋理宗淳祐壬子年，卒元文宗至顺壬申年。② 南陵工山镇九甲林村，原名"豹子洞林"，在都、图制时代属六都九甲。据《林氏宗谱》载，在宋代林氏祖先即由福建来此落户，故易名九甲林。

　　宋元时期的芜湖移民不仅仅是人口在数量、地域以及籍贯上的变化，移民还是社会结构的重组和优化，是影响地区开发的主要因素之一，是文化的播迁和升华。首先，北方移民的迁入，促进了地区的开发，这点在南繁丘陵山区特别明显。其次，为文化影响，张孝祥、王淇、李儒、徐伯振等人文化程度较高，他们注重教育，提倡藏书和读书，对于芜湖等地文化氛围，影响甚巨。总之，移民是芜湖、繁昌、南陵社会进步和发展的重要动力。

　　　　　　　　原载《芜湖职业技术学院学报》2009 年第 3 期。

---

① 《上海图书馆馆藏家谱提要》，上海古籍出版社 2000 年版，第 126 页。
② 以上家谱藏安徽省博物馆。

明清时期芜湖的藏书与著述

明清时期，芜湖、繁昌属于太平府（府治当涂），南陵属于宁国府（府治宣城），历史上南陵、繁昌都属汉代春谷县地。今依据现在的芜湖市行政区划（公元 2011 年 8 月前），对芜湖三县的藏书和著述进行考述。先说藏书，当时江南经济繁荣，文化昌盛，藏书刻书活跃。芜湖私家藏书事业虽不如江浙一带的规模、影响，但也有可叙之处。

一、藏书概况

我们知道，宋代芜湖就有藏书家韦许，他的"独乐堂"藏书献于朝廷。又有芜湖僧寺寄存权相蔡京的书籍，亦充实了南宋政府书库。明代芜湖藏书家有：鲁崇贤，嘉靖甲子科举人，任浙江龙游知县，"素力学，喜藏书，几盈万帙"。① 胡茂学，字海屿，崇祯贡生，喜爱收集法书名画碑帖，堆盈几案。戚嘉缙，字公佩，操致高旷，以琴尊自娱，聚法书名画为珍玩。王德，号南虹，性淳笃，兄弟友爱，家中"藏书充栋，古今文献颇称备焉"。② 施天骅，字河采，崇祯贡生，尝购书数千卷，拥榻卧起其间，对于异书、古拓，视同性命。明代繁昌人姚孟昱，万历十七年（1589 年）

---

① 嘉庆《芜湖县志》卷一二《人物志》，民国二年活字本。
② 民国《芜湖县志》卷四七《人物志》。

进士，嗜书成癖，家居时"藏书满楼，佛道二藏皆购置之"。① 明代芜湖出了一个藏书世家，即李氏一门，以李永为代表。李永，字怀永，号恒斋，原籍江西吉水，因祖父李泰生在芜湖开馆教学，遂定居芜湖。李永学识深厚，曾任浙江诸暨县学训导，后在儒林街建"雅积楼"，贮藏图书万余卷。李永的儿子李赞、李贡都是进士、大官，他们退休回芜后，在原有藏书基础上，广为收集，进一步扩充。李贡之子李原道曾请芜湖官绅周易作赋记其事，并自铭于后，赋铭均刻碑于雅积楼前，其铭曰："於惟大父，积书以楼，吾考继之，充栋汗牛，岂惟积书，厥有令猷"。可见其卷帙浩繁。雅积楼是芜湖历史上著名的藏书楼，盖取文人"雅集"之意，后"集"讹为"积"，历明清两代，"嘉庆间楼岿然尚存"，其楼其书存世在三百年以上，这在芜湖乃至安徽的私人藏书活动中尚不多见。②

　　清代芜湖藏书家有：俞邦奇，字庸幼，家藏万卷，沉酣经史，丹黄点校无遗。陶维熊，字太占，淡于名利，淹贯经史，有"容膝斋"储书万卷。邵廷侃，字秩青，能文章工书翰，广收异书名帖，视为性命。施长春，字淡吟，工诗爱洁，一生嗜书，见异书奇文不忍去手而收集。施道光，字呆亭，乾隆年间举人，少孤贫，奉母至孝，勤学，诗字皆工，有海桐书屋，集书数千卷。奚自，字公石，仰慕陶渊明为人，居柳村老屋数椽，储书万卷，日夕啸咏其间。沈德修，字静人，喜评古彝器，多蓄名人字画。范兆龙，字仰山，号荔裳，学问淹博，积书多手录之。清代大诗人袁枚《随园诗话》卷二录其诗一首。李兆洐，字蕃葪，号沃野。家中藏书万卷，插架满盈，乾隆三十七年（1772 年）开四库馆，征集天下典籍珍本，李兆洐献出家藏善本秘籍百余种，为当时芜湖藏书

---

① 道光《繁昌县志》卷一二《人物志》。
② 胡志恒：《芜湖古代藏书考》，《芜湖师专学报》1999 年第 3 期。

家之首。韦谦恒（1720—?），字慎旃，号约轩，"拥书数千卷，架屋两三椽"，可见数量可观。韦谦恒于乾隆二十八年（1763 年）中进士，廷试第三名（俗称"探花"），历官国子监祭酒、鸿胪少卿等职，在京参加《四库全书》的编撰，并献出家藏古籍善本，有一种列入《四库全书存目》。①

明清时期芜湖的私家藏书，并非仅仅局限于"藏"，而是"藏著结合，藏而能用"。上述藏书家，不少又是著书家，各自丰富的藏书是他们的资料宝库，收藏图书是为了读书治学，著书立说。他们或撰或辑，或注或订，皆有数量不等的著述传世，如胡茂学、李贡、俞邦奇、施长春、奚自、李兆洄、韦谦恒等。还有相传明代大戏剧家汤显祖曾寓芜湖雅积楼，撰写《牡丹亭》；只是在此是初稿、改稿抑或定稿，不得而知。② 总之，此事如能确定，诚为芜湖藏书史上一大光彩。

二、著述简目

其次谈谈著述。宋元时期芜湖已有近十部著述，但传世只有张孝祥的《于湖居士文集》。明清时期芜湖、繁昌、南陵出现了许多学者、文人，今据《皖人书录》、《贩书偶记》等，按照经史子集顺序，编写简要著述目录如下：

芜湖　明代　王德著《四书蒙求》。胡燧著《大学补》。朱宗让著《诗集易解》。韦学仁著《易上下解义》。胡茂学著《邑志略》二卷。胡邦旦著《元气论》。刘继芳著《怪证表里因集》。张大有著《法华经注》、《楞岩经注》。戚嘉缙著《竹樾诗集》。鲁崇贤著《卧游诗集》。李贡著《舫斋集》。周易著《赤山集》。施天

① 《四库全书总目》卷三七，四书本义汇参四十五卷《赞善韦谦恒家藏本》。
② 刘尚恒：《二余斋说书》，河北教育出版社 2004 年版，第 237 页。

骅著《俪蘅集》。沈士柱著《土音集》。

清代　萧云从著《易存》，收入《四库存目》。黄道晓著《周易会通》二十四卷。潘兆龙著《周易析义》。陈全著《评孟》。缪阗著《律吕通今图说》一卷、《律易》一卷、《音调定程》一卷、《弦徽宣秘》一卷。张世勋著《读史骈枝》。潘铸著《春秋女氏世族谱》。潘桂绘《芜湖城厢图》、《芜湖全境图》。夏振翼著《武经体注大全会解》七卷，收入《四库存目》。顾世澄著《疡医大全》四十卷。沈省著《集验方》。陈上印著《济世新编》。王燮著《理堂印谱》八卷。施长春著《淡吟遗草》。奚自著《柳村存稿》。朱卉著《草衣山人集》。洪銮著《悔绮堂诗集》，沈德潜序。李兆沄著《龙山草》，沈德潜序。韦谦恒著《传经堂诗钞》十二卷（清乾隆55年刻本）。黄钺著《壹斋集》四十卷、《画品》一卷。王泽著《观斋集》十六卷。韦协梦著《带草轩诗》一卷、《带草轩文抄》无卷数。黄富民著《礼部遗集》九卷。濮嵩庆著《一叶草堂诗抄》二卷。濮文彬著《黄州宦游草》一卷附词一卷。王墅著《拜针楼传奇》。

繁昌　明代　谢九成著《经史管见》。吴琛著《奏议》十二卷。徐杰著《徐兴之文集》。徐贡元著《省身日记》。李一公著《二十一史撮奇》。王焞著《繁昌县志》。李一献著《灿花斋草》。

清代　江舟著《尔雅补》。徐克范著《易经演义》。郝一枢著《阅史随笔》。李昌期著《医鉴》。徐宗实著《焦桐集》。魏康孙著《遗安堂诗》。闵其景著《前知通微集》。杨巘著《秋影轩诗集》。徐之程著《柳溪草堂诗集》。

南陵　明代　汪景著《良知辨》等。何奎著《何都谏遗稿》。许梦熊著《襟日楼草》等。刘有源著《四朝台疏》、《涉园诗集》。丁镒著《东江集》。张真著《奎湖诗集》。陈孜著《林下农谈》。

清代　汪越、徐克范著《读史记十表》十卷，收入《四库全

书》。汪桢著《史弋》二卷。徐文达著《徐光禄公奏稿》一卷。刘
握著《算学三法》十六卷。董维岳著《痘疹专门》二卷。盛於斯
著《毛诗名物考》等 20 余种，仅存《休庵影语》二卷、《休庵前
集》一卷、《后集》一卷传世。何一化著《瑟斋集》，施闰章作序
行世。刘楷著《慕园集》。刘开兆著《芸庵诗集》八卷。何彤文著
《西溪偶录》、《听松随札》、《丛桂山房诗存》。

三、价值特点与散佚原因

芜湖三县著述的特点。首先，收入《四库全书》有 4 种。明
末清初姑孰派大画家芜湖萧云从绘《离骚图》，收入《四库全书》。
萧氏还著有《易存》，是一本易学专著，《四库全书》载入"存
目"。清代芜湖夏振翼著《武经体注大全会解》七卷，对孙子等七
种兵书加以注释，适应当时的武举考试，收入《四库总目兵家存
目》。清代南陵汪越著、繁昌徐克范补《读史记十表》十卷，① 考
证精密，对于后人准确理解《史记》十表，提供了有益的途径，
是一本高质量的史学专著，收入《四库全书》。其次，具有区域社
会的文献史料价值。清代黄钺虽为当涂籍，但他"家芜湖五世"，
著《壹斋集》，有许多关于芜湖历史掌故、风土民情的资料，成为
研究芜湖乃至皖江流域的一部重要著作。清乾嘉时期南陵刘开兆
博学能文，尤工于诗，深受前辈大文人杭世骏赏识，著《芸庵诗
集》，该书卷八"消夏杂诗"一百首描写南陵山川风物，方言俚
俗，材料十分可贵，可补志乘之不足。其中第 53 首诗后注说：
"通邑沃田，石灰取之西乡山内，络绎不绝"。告诉我们南陵山区
出产石灰的情况。第三，一些失传的书亦有价值。如明代繁昌徐

---

① 《安徽文化史》（南京大学出版社 2000 年版）第 1079 页说徐克范是南陵人，恐
有误，徐克范是繁昌人，见道光《繁昌县志·人物志》。

杰，成化二十年（1484 年）进士，任山东淄川知县，仅为官三月，归隐家乡，人称"繁昌陶渊明"。著《徐兴之文集》，失传，但《繁昌县志》、《徐氏家谱》保存了一些诗作，今从《徐氏家谱》录二首，以见才情。《哭先人》二首云："未老求闲未得闲，半生都为我艰难。有儿留得痴如我，比似人间一般"。"官满归来依旧贫，时时乞米向亲邻。未尝（偿）券纸数留在，此是家私遗后人"。① 清代芜湖施长春是唐朝贾岛似的苦吟诗人，诗集佚失，《繁昌县志》收录其七律一首"塔塘"，《随园诗话》卷九收录一首"上塚歌"。明代南陵人陈孜，弘治壬子科（1492 年）举人，官至宁羌州知州，著《林下农谈》，清初著名的目录学著作《千顷堂书目》著录，但《皖人书录》没有著录，可能失传。观其书名，大概是宋代陈翥《桐谱》一类的著作。第四，与徽州、桐城比较，芜湖具有子部书突出的特点。芜湖作为商埠，人口流动性强，外来移民多。② 尽管没有产生戴震、俞正燮经史大家以及方苞、姚鼐桐城文派名家，但在子部著述方面颇有特色。如前述夏振翼著《武经体注大全会解》，属于子部兵家类。清代芜湖人顾世澄著《疡医大全》，汇集父祖家藏秘方，是一部在医林中很有影响的外科学专著。清代南陵人董维岳擅长小儿科，著《痘疹专门》，"至今数百年后，犹人人能道之"。③ 清代芜湖出了两位比较有名的篆刻家，一是诸葛祚，据说为《儒林外史》里"郭铁笔"的人物原型。从清初到清中叶一百余年，诸葛氏能镌铜章，世精其业，是闻名天下的芜湖铜印世家，其作品收入《明清篆刻流派印谱》（上海书画出版社 1980 年版）。生活于清中叶的王燮，是兼容徽派与浙派的篆刻家，亦留下"功名富贵久寒灰"等印章。

---

① 民国《繁阳八分村徐氏宗谱》卷八《补录元定公诗文》。
② 张宪华：《宋元时期的芜湖移民》，《芜湖职业技术学院学报》，2009 年第 3 期。
③ 民国《南陵县志》卷三三《人物志》。

　　明清时期，芜湖、繁昌、南陵的藏书和著述大多散失亡佚，究其原因，主要是战争动乱的影响。如黄钺藏书，毁于咸丰兵燹，"藏书数万卷，于市上称斤卖之"。① 宋代芜湖人陶炽的"文集经兵火无存，唯余谷池片石，见一斑焉"，即"东莞戍民免调碑记"，载于《芜湖县志》。其次是政治原因（即统治者的禁毁），在清初，芜湖抗清志士沈士柱被清廷处死，他的诗集《土音集》在顺康年间颇为流行，大学者方以智、钱谦益都读过《土音集》。以后乾隆朝收缴禁书，《土音集》没有流传下来。明代繁昌李一公著《二十一史撮奇》，请他的进士同年钟惺作序。钟惺的著作后被列入《清代禁毁书目》，也许是导致李一公此书不传的原因吧。第三是水灾火灾等因素。芜湖地处江南，原为湖滩低洼之地，容易受到洪涝灾害，旧时，每隔十年左右一次小水灾，二十年左右一次大水灾。如前述的繁昌藏书家姚孟昱，"因家江干，所著古文词多散佚"。② 著名泥簧戏演员张季瀛家藏手抄剧本三尺多厚，可惜在 1931 年夏天毁于洪水。还有明代芜湖名医王𬭸，"其所著方书，皆神奇灵异，为同时郡司李取视，意欲镂板传之人间，而尽为劫火焚去，若似为造物所甚秘惜者"。③ 清乾嘉时吴江文人郭麐《爨馀丛话》说："芜湖萧尺木居士以画名一时，诗不多见。近得见其集……"可见萧云从诗集曾有刻本（或稿本）行世。但后来诗集散失，仅存萧云从七言律诗三十首收于清代黄钺《壹斋集》中。

原载《芜湖职业技术学院报》2011 年第 1 期。

---

　①　杨钟曦：《雪桥诗话余集》卷二，民国求恕斋丛书本。

　②　道光《繁昌县志》卷一二《人物志》。

　③　康熙《芜湖县志》卷一二《方伎》，芜湖市地方志办公室复印上海图书馆抄本。

芜湖的宗教文化

芜湖是汉代设立的古县，东晋安帝义熙九年（413年）省芜湖入襄垣县，隋文帝开皇九年（589年）废襄垣，唐代芜湖为当涂属镇，直到南唐昇元年间复置芜湖县。由于地当冲要，经济发展迅速，文化也开始起步。本文侧重宋代以后的芜湖的宗教文化，主要探讨佛教、道教及民间信仰在芜湖、繁昌、南陵的概况，为进一步深化研究提供一份历史资料，以备参考。

一、芜湖佛教寺庙

宋元时期，佛教最为盛行。芜湖已有四大名寺：东有能仁寺，西有吉祥寺，南有普济寺，北有广济寺。分布县城四面，象征着佛教四大菩萨道场。

吉祥寺位于芜湖城西五里的鹤儿山麓，始建于东晋永和二年（346年），为芜湖最古老的寺院。南唐时名永寿院。北宋景祐二年（1035年）赐名吉祥院。元丰八年（1085年），僧庆余任吉祥寺住持，募缘重修。"兴旧起废，蔚为禅居"。南宋初年，张孝祥说吉祥寺藏经"五千四十八卷"。韩元杰《吉祥寺》诗："黄尘久厌市朝梦，青蒻已孤鹤鹭盟。谁解携琴来此宿。夜深随意写江声"。元代毁于兵火。明初又重建，改名吉祥寺。洪武二十四年（1391年），吉祥寺归并以成丛林。丛林在佛教中算是高一级的庙宇，它的特点是建制组织齐全，设方丈等职；同时庙里有藏经和法宝。明正统、成化年间，"乃建山门若干楹，廊庑若干架，天王、金刚殿各一，钟楼、藏经殿各一，祖师、伽蓝殿各一，又建毗庐阁一所，上安四十四诸天，印储大藏经六百十五函。美奂美轮，连云耸日，胜前百倍矣"。① 明代吉祥寺僧大约三百余人。② 据明人诗，当时的吉祥寺是楼阁参差，古径萦回，寺廊重绕；而且寺旁有塔，寺后有山，山上有松，风景如画。清代，吉祥寺于康熙三十三年（1694 年）复毁。雍正、乾隆以来又重建，重建后的吉祥寺"宏整壮丽，古制聿新"。我们从《儒林外史》里得知，清代吉祥寺门口"有一个刻图书的郭铁笔的店"。又有"茶馆"。人来人往，熙熙攘攘。清人黄钺《于湖竹枝词》第十四首说："僧店浓香酒不篘，麦䃩谁饭听经牛"。诗后注："国朝朱昆田诗：吉祥寺酒开缸面，爱杀浓香煮药苗"。反映出吉祥寺的酒店以浓香闻名。可见吉祥寺坐落于闹市区，"市声"已经取代"江声"了。

广济寺位于赭山南麓，始建于唐代乾宁年间，初名永清寺。宋初改为广济寺。以后历代重修，其中明代景泰年间以及清代乾隆二十一年（1756 年）、嘉庆三年（1798 年）都做过重大整修。咸丰年间庙毁，同治年间重建。光绪年间再修，留下了现在的规模。相传唐代永徽四年（653 年），新罗国（今韩国）王子金乔觉出家为僧，渡海来华，曾先在赭山结茅修持，后往九华山开辟道场。金乔觉圆寂后，佛教徒相信他是地藏菩萨的化身，九华山因之成为中国四大佛地之一。而赭山的永清寺又是金地藏修道的起点，亦享有"小九华"的称号。在佛教中，地藏菩萨是掌管幽冥世界的神祇。因此，在民间，地藏菩萨有着巨大的影响力。我们知道，九华山在宋代还不是佛教"名山"。甚至在元代和明代前

---

① 嘉庆《芜湖县志》卷二〇《艺文志》。
② 《云间志略》卷一二《杨水部南溟公传》。

期，九华山还未成为佛教的民间信仰中心。明万历年间，官方正式承认九华山作为地藏王菩萨的道场。清初，九华山成为第四大佛教名山。① 估计广济寺号称"小九华"也在清代。广济寺藏有唐肃宗至德二年（757 年）御赐金印，方三寸六，重八斤半，沙金铸成。上镌九龙背钮，印刻"地藏利成之印"六个阴文篆字。据说，这颗金印大约在清光绪年间从九华山流落到芜湖的，至于金印到底是怎么来到广济寺，详情不得而知。总之，这颗金印不仅成为广济寺的镇寺之宝，更是中国乃至全世界的佛教至宝。

东能仁寺前身为南唐古城院，宋代易名东承天院，北宋政和间迁城东。元废，明初在废墟上重建，旧址在今环城东路的胜利电影院。普济寺在县河南，旧名水西，北宋仁宗时改今名。明清时期成为丛林级的寺庙，"白马诸峰拱其后，长河一水绕其前"。② 遗址在今中江桥下首一带，与老城区的西门、下水门隔河相望。城南白马山也有古庙宇，称为白马禅寺，民间传说二祖慧可大师驾白马驮经书，追赶达摩祖师，途经白马山时在洞中小憩，因而得名白马山，洞也成了白马洞。在白马驮经地方建起白马寺。于是，寺山融为一体，成为芜湖古八景之一。③

二、繁昌隐静寺

隐静寺位于繁昌县平铺镇五华山，在今繁昌县东南。五华山方圆四平方公里，山有碧霄、桂月、鸣磬、紫气、行道五峰。隐静寺处于五峰之会，山峦拱合，林木幽奇，古涧委折，水激如雷，为风景绝佳处。古寺传为南朝高僧杯渡创建，曾号称"江东第二

① 严耀中：《江南佛教史》，上海人民出版社 2000 年版，第 292—294 页。
② 嘉庆《芜湖县志》卷二〇《艺文志》。
③ 杨维发：《今日白马寺》，《芜湖风情》2006 年第 2 期。

禅林"。

隐静寺是唐宋人心目中的"名山",梅尧臣、郭祥正、杨杰、张孝祥、范成大等都在此留下了诗篇。寺左有降福殿,右有西庵。正门有一石阶,直达山顶,石阶上有一类似踏陷之足印,相传是地藏王来此山遗留。寺前二里许,有双松对峙,势如虬龙,据说是杯渡手植。寺后有宋代石刻,岩下有金橘一颗,据说是晋代高僧道朗所栽。宋嘉祐三年(1058年),圆通禅师整修隐静寺,历时七八年,"高甍巨栋,罔不新者。于是御书之阁,尤甲于诸屋"。①御书阁藏三朝御书110轴,系宋太宗、宋真宗、宋仁宗所书。隐静寺建炎年间毁于兵火。绍兴年间又重建,"由尺椽片瓦之积,至于为屋数百千楹。土木之工,金碧之丽,通都大邑未有也"。② 又建单传阁,供佛三十五祖塑像,"盖诸方所未有也"。乾道年间,周必大游历隐静寺,写道:"邃廊杰阁,江东之巨刹,隶太平州繁昌县。寺后三百步,碧霄峰下,有泉出石中,流入寺,瀺瀺有声,且给烹煮灌溉。长老行机,台州人,颇为僧徒所推,有众三百。饭罢瀹茗泉上,闻登山则见岩洞之异,初暑不果往。归寺登单传阁,遍历寮舍。再饭讫,出寺观卓锡泉,夹道林中,王孙累累然。行近里许至梦堂,前上蓝长老彦岑在焉。又半里,登杯渡塔"。③周必大说,寺众三百,并有王孙修行。规模宏大,香火旺盛,不愧为"江东之巨刹"。与时人何麒说"太平州隐静寺实杯渡尊者道场,江左大迦蓝也"。韩元吉说"栋宇宏丽,佛事焕列"。④这些记载,都彰显出隐静寺当时凸显的地位。

明初隐静寺是丛林级的寺庙。永乐五年(1407年)明成祖的

① 道光《繁昌县志》卷一六《艺文志》。

② 《于湖集》卷一四《隐静修造记》,四部丛刊本。

③ 《文忠集》卷一七一《乾道壬辰南归录》,文渊阁四库全书本。

④ 《南涧甲乙稿》卷一五《隐静山新建御书毗卢二阁记》,文渊阁四库全书本。

徐皇后去世，隐静寺为徐皇后举办无遮会。其后屡有修建。明清时期，隐静禅林是繁昌古十景之一，文人、官员经常造访。大画家萧云从常和诗友来游，并绘隐静山《五峰图》一幅。但至清代，隐静寺似乎地位下降。也许是"境僻人难至"导致"青草到腰深"吧？也许是没有杯渡这类高僧来住持吧？清人古传诲"游隐静寺"诗描写了这种荒凉状况："山溪盘曲水潺湲，系马桥西谒世尊。积藓碑横衰草砌，负暄僧倚夕阳门。已无杯渡来松径，空有频伽唤竹林。最是令人惆怅处，一声清磬出荒垣"。夕阳断碑，衰草荒垣，空有鸟鸣（诗中"频伽"俗称八哥鸟，传为杯渡带到隐静山）令人惆怅，大有今不如昔之感。

南陵崇教寺建于唐代，宋太平兴国五年（980年）赐今额，后又在寺东建塔七级。元毁，明代又重建。嘉靖年间崇教寺因风水好，与孔庙学宫对换迁建，于是佛塔变为儒门文风之塔。①

三、芜湖的道观

道教是我国土生土长的宗教，它又是诸多道派的集合体。北宋初年，繁昌荻港出了一位著名道士——赵自然，他不食烟火食，修身养性，受到宋太宗的召见，赐钱、赐紫衣，并改青华观为延禧观。《宋史·方技传》里也有记载。陆游在《入蜀记》里也提到荻港延禧观。最早见于记载的芜湖道观，应数蟂矶上的宁渊观，北宋政和年间赐名。因阻江不便祷祀，又在县西建下观，南宋时，"道流十余，坛宇像设甚盛"。② 宁渊下观历经明清两代维修，殿宇宏伟，香火旺盛；又因长街延伸，成为长街闹市中一处仙观。清

---

① 沈澄：《南陵文风古塔追记》，《南陵县文史资料选编》第一辑；民国《南陵县志》卷四七《明鼎修儒学碑记》。

② 陆游：《入蜀记》卷三，知不足斋丛书本。

顺治九年（1652年），奉天人林中瑶兄弟侨居芜湖，在元代道观的旧址上建立全真宫，有玉皇殿、斗姥宫，乾隆五十年（1785年）加建真武殿，嘉庆四年（1799年）又建孚祐宫，"廊庑云房，备极宏丽"，① 成为芜湖较大规模的道观。乾隆《太平府志》卷九《祀典志》："（芜湖县）白马三圣祠在县南二十五里白马山，宋元旧有遗宫。明成化间道士叶志宽募缘鼎建"。说的是城南白马山的道观。芜湖还有一些道观为工商业团体所建，如"万寿宫，在吉祥寺后，顺治四年江右商人建，祀许真君"。又如"崇仙院，在镜湖堤南，即古文昌宫，崇祀葛仙翁，康熙六十一年（1722年）建。乾隆十年（1745年）、十六年（1751年）、二十八年（1763年）节次重修"。② 这是掌握色纸业的句溧帮祭拜祖师爷葛玄的场所，乾隆年间三次重修，在原址上不断扩大建筑范围，并于院中增建演剧的万年台，每年葛诞（重阳日）演剧数日。这些道观的存在，反映了道教的世俗化与民间化。

四、民间神祠

宋代社会除了佛教、道教外，人们还狂热地信奉着成千上万的神祇。这些民间神祠，主要为民众所信奉，与民间日常生活息息相关，最符合民众讲究实际的现实利益。

城隍神。据清人孙承泽《春明梦余录》卷二二记载：三国东吴赤乌二年（239年）在芜湖建造的城隍庙，是我国最早的一座。究竟确实与否，现在已经难以考辨了。而且，这座庙里供的城隍神是否就是后世意义上的城隍神，人们祈祷这位神赐福什么，《春明梦余录》也没有说。城隍神真正在民间兴盛是在唐宋两代，"其

---

① 嘉庆《芜湖县志》卷三《祀典志》。
② 嘉庆《芜湖县志》卷三《祀典志》。

祠几遍天下"，每州每县都有城隍庙。无论官方还是民间，对城隍都十分恭敬。城隍本无姓名，自宋代开始有了姓名。宋人说芜湖城隍神是纪信。① 纪信是刘邦的部将，在荥阳之围中掩护刘邦突围而被项羽所杀。一般而言，各地城隍神主多是与当地有关系的历史人物，其作用是保护城池和城市居民。如苏州城隍是春申君，杭州城隍是文天祥等等。到明代，朱元璋崇信城隍，下诏于各府州县改建城隍庙，按照府州县衙门的款式从事建筑；并且还要设立审判的座位，一如县州府官升堂退堂一般。朱元璋还封应天府城隍为帝，开封、和州、太平府城隍为王，芜湖城隍属于县级，被封为显祐伯。城隍祭祀还被列入国家祭典中。清代祭祀城隍风气不减，"乾隆五十四年（1789 年），邑众与徽人合葺（城隍庙），阅五载告竣，殿庑肖像，咸完美焉"。② 明清时期，城隍演变为冥界地方官。旧时芜湖城隍庙内有"十殿"，即十间阎王殿，牛头马面、黑白无常等塑像生动而又阴森恐怖，展示了阴曹地府的状况。

　　祠山庙。嘉庆《芜湖县志》卷三："祠山庙在县西二里，明洪武二十八年邑民陈源建。成化间市民增修门庑。按祠山神在广德军，著灵南唐。宋景祐二年（1035 年）以神载在祀典，诏本军崇饰其祠。芜邑相沿有庙，为土俗祈谷之神"。祠山神张渤，西汉宣帝时人，据说张渤开凿长兴荆溪河，引流至广德。以治水和开发江南有功，显名于世。经历代渲染，张渤已成为神坛上佑民之大神，民间称为张王或张大帝。张王在宋代有相当影响，不仅为农夫降雨，而且保佑士子科举及第。当时张王信仰从广德传播到两浙、江西、湖南、福建地区，成为有全国影响的地方神。民间信奉颇虔，其庙宇遍及东南地区。据周必大记载，芜湖亦有"张大王庙"。繁昌县的张王庙由著名诗人陈造修建。陈造为南宋淳熙二

---

① 赵与时：《宾退录》，上海古籍出版社 1983 年版，第 104 页。
② 嘉庆《芜湖县志》卷三《祀典志》。

年（1175 年）进士，调繁昌尉，"尝旱祷于祠山昭烈王，即大雨有年。建庙，偕民事之所欲，必请，请必酬"。①

双忠庙，又名天曹庙，专祭唐代张巡、许远二公。张巡临危授命，坚守睢阳（今河南商丘），阻遏了安史叛军的攻势，保全了江淮、江西一带，功绩甚巨。宋代芜湖河南即有张巡庙，后多次维修。明代在县治后建双忠庙，以便河北居民的祭祀。"邑东南地名山口，有庙，谓之老菩萨，即睢阳张公之神。以菩萨称，又以老称，奇矣。每年三月二十五日以为神诞，乡城男妇进香者坌集，必杀鹅为飨。"② 山口在今芜湖弋江区火龙岗镇。民间以张巡为驱鬼辟疫之神，或者指为瘟神。"俗曰瘟司庙，亦名暖庙。凡有疾疫必祷，祷必应，赫然尊奉之至"。③ 人们把驱逐瘟疫、祛病消灾的希望寄托在张巡身上。

李卫公祠。南宋乾道七年（1171 年），芜湖大旱，县令沈端节前往神山李卫公祠求雨，两日后降雨，于是重修祠宇。李卫公即唐代名将李靖，武德七年（624 年），在芜湖一带大破辅公祏军队，使江南人民得以安居乐业，因此芜湖人民给他立了庙，当作神供起来。神山李卫公祠，"自宋元迄今，甘霖屡降，"④ 被认为是李卫公显灵降雨。昔时殿宇颇盛，民国初仅存祠宇三间。

芜湖、繁昌地处水乡泽国，民间多信奉水神。如龙王庙、杨泗庙、晏公殿等。宋代陆游在《入蜀记》中提到繁昌三山、荻港都有龙王庙。《夷坚支志》丁卷七《芜湖龙祠》说绍熙五年（1194年）江西某官押运米纲船，途经芜湖，半夜突然船漏，"惶窘无计"，于是向龙祠拜祷，"愿大神威灵，曲垂昭告"。果然"一小鱼

---

① 《江湖长翁集》卷二一《重建祠山庙记》，文渊阁四库全书本。
② 嘉庆《芜湖县志》卷一《地理志》。
③ 嘉庆《芜湖县志》卷二〇《艺文志》。
④ 嘉庆《芜湖县志》卷二一《艺文志》。

当漏处，帖帖如遮护"。米纲船安然无恙，得到了芜湖龙神的保佑。杨泗庙又名大王庙，礼奉宋代偏将杨泗将军，是一位实有其人的民神。据宋史记载及民间传说，杨泗是曹彬的部下，在征南唐时阵亡。宋太祖凯旋回师过长江时，中流风浪大作，船几乎倾覆。忽见杨泗将军站立水浪上，持巨斧砍斫浪头，旋即风息浪平，舟得以济。太祖还汴，感念杨泗战功，且牺牲后还护师渡江，因封为"平浪王"。后世操舟楫者，多塑杨泗像以祀之。芜湖历代建有杨泗庙多处，一在县城河南大江口，便于往来船工渔民进香以祈求平安。一在鲁港江浒，明代所建。繁昌三山镇（今芜湖三山区）亦有杨泗庙。相传每值风狂浪巨，江中隐约可见杨泗将军显灵，于是风平浪静，渔民得以捕鱼作业。为了感报杨泗将军，集资在江边立庙，每年农历正月十五日为杨泗生日，由船帮大办庙会，唱戏酬神。晏公原本是江西的地方性水神，明初受封后，成为具有全国性影响的水神。过去芜湖元泽桥、南关等处都有晏公殿。繁昌孙村镇境内晏公庙，庙舍十余间，有斋公主庙，1949 年前逢旱，乡人进庙求雨。三月三妇女做晏公会，也往庙里进香，建国后拆建小学。

南陵工山庙奉祀晋朝何琦。县境各乡多建工山庙，相传甚为灵验，俗有"工山菩萨"的称号。据说过去若逢天久不雨，人们无计可施，就沐浴斋戒，前往工山庙虔诚祷告，祈求工山菩萨行善降雨，以拯地方。偏巧屡有灵验，由此后人相沿成习，工山菩萨也就成为人们祈求降雨菩萨了。据查考，芜湖周边都没有工山庙，仅繁昌有工山庙。可见工山庙为南陵、繁昌民众所信奉，是典型的地方性神祇。

原载《皖江文化与区域创新：第三届皖江地区历史文化研讨会论文选编》，合肥工业大学出版社 2009 年版。

附录一

唐代安徽进士考

　　唐代是我国封建社会科举制度的发展时期。当时科举科目众多，但最被人们看重的是进士一门。时人把考中的进士誉为"白衣卿相"、"一品白衫"，又有"三十老明经，五十少进士"、"焚香礼进士，设幕待明经"之语，足见登科进士的地位之高。安徽在唐代考取进士科的情况如何？过去鲜见论述，实为安徽教育史上的一个空白。现仅依据有关资料，拟分淮北、淮南、皖南三区对这一问题进行考述，以期达到抛砖引玉之目的。

一

　　唐代的亳、颍、宿、泗四州，相当于今天的安徽淮北地区，当时属河南道管辖，由于地处中原，文化比较发达。有唐一代，淮北出了三位宰相，一位是武后朝宰相朱敬则，由征辟入仕；[①] 另两位是李绅、夏侯孜，均从科举途径步入官场。

----

　　① 《旧唐书》卷九〇《朱敬则传》："敬则字少连，亳州永城人，代以孝义称。敬则倜傥重节义，早以辞学知名，与三从兄同居，财产无异。咸亨中，高宗闻而召见，与语甚奇之，乃授洹水尉。"

根据有关资料考证，唐代进士多出于颍、亳二州。例如颍州，颍上人张路斯及进士第，[①] 虽然清代学者徐松编撰的登科记考，没有记载其人，[②] 但《安徽通志》有记载，一定有所依据，暂存之待考。又如亳州，肃宗至德二载，谯郡人戴孚及进士第。谯郡即亳州，这是唐代州郡之名屡有变动的缘故。代宗大历十四年（779年），亳州人奚陟进士登科，又登制举，文词清丽，历位翰林学士、中书舍人、刑部侍郎、吏部侍郎，"所莅之官，时以为称职"，[③] 还是一位干练的官吏。元和二年（807年），二十七岁的李绅一举登科。[④] 他始以文艺进用，穆宗召为翰林学士，"与李德裕、元稹同在禁署，时号三俊，情意相善"。会昌元年（841年），"入为兵部侍郎、同平章事"，[⑤] 也就是做到宰相的职务。他亦是新乐府文学革新运动的倡导者，与白居易等有诗文交往，在文学史上有一席地位。敬宗宝历二年（826年），谯人夏侯孜及进士第，后来官至宰相，是淮北三位唐相之一。

据我有限的阅读范围，宿、泗二州进士登科情况的记载阙如。看来，唐代淮北地区所出进士主要集中于颍亳（今阜阳市、亳州市），而亳州又出了三位宰相。显然，亳颍的文化教育事业高于宿、泗。

---

① 光绪重修《安徽通志》卷一五四《选举志》。

② 清人徐松的《登科记考》三十卷，为研究唐代科举制度的重要史料。然以个人之力荟萃唐代三百年科举史实，千虑之失，在所难免，近人时贤已著文订补其书。

③ 《旧唐书》卷一四九《奚陟传》。

④ 《旧唐书》说李绅是"润州无锡人"，《新唐书》说"客寓润州"。今据《安徽历代文学家小传》（安徽人民出版社1961年版）有亳州之说，见该书38页。

⑤ 《旧唐书》卷一七三《李绅传》。

二

　　唐代淮南道管辖下的舒、寿、庐、滁、和、濠六州，相当今天我省淮南地区。这一地区所出的进士，大多在安史之乱后，是一个值得研究的课题。

　　贞元十五年考中进士的张籍，和州乌江人，与韩愈、白居易交游，"以诗名当代"，①"籍为诗，长于乐府，多警句"。② 为中唐著名诗人。因他历任国子监司业、水部郎中，世称"张司业"、"张水部"。

　　元和十年（815 年），寿春人庞严举进士成名，后又参加长庆元年（821 年）的制举，"冠制科之首"，即获得是年制科第一名。史称庞严"聪敏绝人，文章峭丽"，极为名流贤达赏识。官至权知京兆尹。"以强干不避权豪称，然无士君子之检操，贪势嗜利，因醉而卒"。③

　　进士第一名叫做状元，始于唐朝；不过唐人称谓状头。当时庐州出了两名状元，一曰卢储，一曰李群。

　　据《全唐诗》卷三六九卢储条："李翱典郡江淮，储以进士投卷，翱置几案间。其女见之，谓小青衣曰：此人必为状头。翱闻，选以为婿。明年，果第一人及第"。《唐诗纪事》卷五二云："李翱江淮典郡，储以进士投卷……选以为婿，来年果状头及第"。按《旧唐书·李翱传》，翱曾为庐州刺史，则上引"江淮典郡"之郡，乃系庐州。卢储很可能是庐州人，故得向本郡长官投卷所业，以期提携。这本是唐代举子应试前的风尚。卢储通过地方政府考试

　　① 《旧唐书》卷一六〇《张籍传》。
　　② 《新唐书》卷一七六《张籍传》。
　　③ 《旧唐书》卷一六六《庞严传》。

后，又赴京师长安，"来年果状头及第"，即成为元和十五年（820年）的状元。

合肥人李群，始隐居庐山。穆宗长庆时，他"束书就贡"，[①]进京赶考。径往贡院拜谒主司，受到主司大人的重视，经过礼部试，高中为长庆四年（824年）的状元。

唐末天复元年（901年）年进士榜，时称五老榜。因该年金榜题名的进士之中，有五位老翁。其中有二老是皖人：一是舒州（今潜山县）人曹松，五十四岁；一是歙州（今歙县）人王希羽，七十三岁。[②]他们都是累举不第，在考场上蹉跎大半辈子的士人。江淮中小地主的知识分子，力图通过科举途径，跻身统治集团的尝试，可以说是全国的一个缩影。

三

今天皖南地区，唐时属江南西道宣、池、歙三州。[③]据记载，天宝以前，皖南考取进士者仅四人；其后，登科的进士二十有余。两相比较，唐后期是唐前期的六倍之多。

先看宣州：前期，及第进士只有刘太真、刘太冲兄弟两人。后期，大历六年（771年）、元和九年（814年）分别有当涂人张维俭、陈商，张维俭，官至和州刺史。陈商，任至礼部侍郎、秘书监。贞元二十一年（805年）有宣州人罗立言，为京兆少尹，曾参加削弱宦官权势的"甘露之变"，事败而死。咸通年间，又有泾县人汪遵、许棠。汪遵当过县衙门胥吏，社会地位低下，"以家贫

---

① 《唐摭言》卷二《争解元》。
② 徐松：《登科记考》，中华书局1984年版，第924页。
③ 唐后期皖南属江南东道。

难得书，必借于人，彻夜强记"。① 由于胥吏出身，在京考试时受到同乡许棠的呵斥，但他却比许棠早五年成名。

歙州即徽州。唐前期进士有歙人吴少微。五老榜中一老，七十三岁的王希羽也是歙人。又，光绪重修《安徽通志》卷一五四《选举志》，记载唐后期歙州进士多人，但《登科记考》没有胪列，或许徐松没有见到这些材料的缘故吧。弘治《徽州府志》卷六《选举》："程谏，休宁人，开元二十七年进士"。"汪极，歙人，大顺三年进士"。大顺三年亦即景福元年（892 年），是年正月丙寅改元。②

池州及第进士的人数比较多。元和二年（907 年），费冠卿及第后隐居九华山。会昌五年（845 年），青阳人孟迟、秋浦人卢嗣立同登金榜，成为当时爆炸性的新闻。因为唐代每年在全国范围内择优录取的进士三十人左右，每次参加进士科考试的士人，"多则二千人，少犹不减千人，所收百才有一"，③ 说明中榜率仅是 1%。故会昌五年（845 年）的三十名优胜者，池州人竟占两名，难怪乎轰动一时传为江东佳话了。

咸通时科场驰名的"咸通十哲"，其中四人为皖南人。他们是号称"九华四俊"的许棠、周繇、张蠙、张乔。除许棠是宣州人，三人都是池人。张蠙，乾宁二年（895 年）进士登科；周繇，咸通十三年（872 年）进士及第。张乔，《登科记考》虽没载其及第，但《唐诗品汇·诗人爵里详节》说他是"昭宗大顺进士"。《全唐诗》卷六三八《诗人小传》云："成咸通进士"。又据《唐才子传》卷一〇，大顺中，张乔应京兆府解试，被列为"等第"；按照唐朝科场惯例，京兆府"等第"是礼部取士的主要依据，一

---

① 辛文房：《唐才子传》卷八《汪遵》，文渊阁四库全书本。
② 张忱石：《徐松〈登科记考〉续补（上）》，《文献》1987 年第 1 期。
③ 《通典》卷一五《选举三》。

旦列为"等第"，也就上了登科进士的候选名单。同书又说张乔"竟龃龉名途，徒得一进耳"，可见"一进"即指进士及第。总之，张乔其人可以说是年份待考之进士。

咸通年间池州人登科进士还有顾云、武瓘。之后到唐亡的三十余年，又有康軿、杜荀鹤、殷文圭等人。从而保持了连续不断繁荣势头，真不愧"人才渊薮"之地。这在安徽教育史上值得一书。

唐代安徽三大区的进士已如上述，为何唐后期江淮、皖南的登科进士得以增加？这要从经济发展、教育培养途径以及科举制度的演变，去寻求答案。

大家知道，安史之乱后，随着封建社会经济重心的南移，江南①成为唐中央的经济命脉、财赋重地。经济水平上升，必然带动江南的文教事业的发展，一些中小地主、商人在经济地位上得到一定提高的同时，就相应地要求在政治上有所改善。对于他们来说，"朝为田舍郎，暮登天子堂"，莫过于参加科举考试了。

从教育方面看，这些中小地主、商人大都是"庶人之俊异者，平日不在学中肄业，径怀牒自列于州县，州县试之而送省（尚书省礼部)"②的乡贡。唐自中叶以后，学校受到政局的动荡、战争的频繁及财政困难等冲击，中央官学和地方州县学相当荒废衰败。乡贡们主要通过私学、自学的途径，进行自我进修和提高。如前引泾县人汪遵，"幼为小吏，昼夜读书良苦"。③池州人殷文圭，"居九华，小字桂郎，苦学，所有墨池，底为之穴"。④用功到了磨

① 唐代江南地区，包括今苏南浙江皖南，又称江东。安史之乱后，成为全国最富庶的地区。
② 王鸣盛：《十七史商榷》卷八一《取士大要有三》，中国书店出版社1987年版。
③ 《唐才子传》卷八《汪遵》，文渊阁四库全书本。
④ 《唐诗纪事》卷六八，四部丛刊本。

穿砚台的程度，不亚于囊萤夜读的晋朝车胤。

贞元、元和年间，王质寓居寿春（今淮南市），开办私人学塾，"讲学不倦，诸生从授业者甚众"。① 一些大文豪、大学问家，亦从事私人授徒讲学。如宣州人刘太真，是开元时期著名文人肖颖士的学生。韩愈的高足——韩门弟子中也有和州人张籍。

还有一些举子隐居胜地，结伴读书。《唐诗纪事》卷六七说"顾云，池州盐贾之子也，风韵详整，与杜荀鹤、殷文圭友善，同肄业九华"。这种群居讲习、互相切磋的形式，实为五代宋初书院的先声。

再从科举制度的演变过程，稍事考察。唐前期科举重两监轻乡贡，执行一种优待中央官学忽视一般士人的政策。唐后期，适应着中小地主为主体的乡贡应试的形势，统治阶级对从前把门开的较窄的做法有所调整，从而网络了一批草泽之士，诸如胥吏出身的汪遵，盐商的儿子顾云，"三族不当路，长年犹布衣"② 的杜荀鹤等人，均利用科举考试的跳板，挤进了统治集团。这表明，随着科举制度的演变，唐后期举士，具有一定范围的开放性。

原载《学术界》1987 年第 3 期。

① 《新唐书》卷一六四《王质传》。
② 《全唐诗》卷六九一，中华书局 1960 年版，第 7929 页。

唐代安徽进士考补

笔者曾撰《唐代安徽进士考》，考证出进士及第者凡三十二人。近来翻阅地方志与唐代文献，又复检得有关唐人科第者十二人，兹依《唐代安徽进士考》之体例，分三大区考述。

一

白居易《醉后走笔酬刘五主簿长句之赠兼简张大贾二十四先辈昆季》：

"刘兄文高行孤立，十五年前名翕习。是时相遇在符离，我年二十君三十。……张贾弟兄同里巷，乘闲数数来相访。雨天连宿草堂中，月夜徐行石桥上。……二贾二张与余弟，驱车逦迤来相续，操词握赋为干戈，锋锐森然胜气多。

齐入文场同苦战，五人十载九登科。二张得隽名居甲，美退争雄重告捷。

棠棣辉荣并桂枝，芝兰芳馥和荆叶。唯有沉犀屈未伸，握中自谓骇鸡珍。

三年不鸣鸣必大，岂独骇鸡当骇人。"①

白居易诗中"二贾""二张"和"刘五主簿"，朱金城先生认

---

① 《全唐诗》卷四三五，中华书局 1960 年版，第 4812 页。

为"贾二十四先辈"是贾𫗧，二张者，张彻及弟张复。[①] 刘五主簿，名不详。[②] 我们认为，仅据《新唐书·贾𫗧传》"少孤，客江淮间"，得不出贾𫗧曾居住符离的结论。唐代"江淮"的地域概念，若按地理区域，习惯上指唐淮南道的大部，北不过淮水。若从经济区域的角度而言，"江淮"范围的南限已扩大到江南地区，大致系指江南东道和淮南道。[③] 而且诗中"握中"、"沅犀"、"美退"又作如何解释？正确的解释是，二贾应指贾握中、贾沅犀，二张应指张仲素、张美退，刘五主簿即曾任岐阳县主簿的刘翕习。这五人"同里巷"，时称"符离五子"。为贞元七年（791年）白居易在宿州符离县相识的旧友。

张仲素登贞元十四年（798年）进士第，见《登科记考》卷一四；其从弟张美退登进士第亦当在贞元十四年不久，[④] 故白居易诗云"棠棣辉荣并桂枝"。刘翕习、贾握中虽不见于《登科记考》，但证以元和四年（809年）白居易所作诗句"五人十载九登科"，可推知两人俱为贞元十四年（798年）至元和四年间（809年）的及第进士。"唯有沅犀屈未伸"，大概只有贾沅犀一人落榜了。

光绪《宿州志》卷一八《人物志·儒林》云："刘翕习，符离人……贞元初进士。出为岐阳主簿，位不称才，郁郁辞官去，有秦中行路吟一篇寄白公，归隐于县之北武里，不复仕。"

同书同卷《人物志·隐逸》："贾握中，符离人，与同县二张齐名，登贞元中进士，后隐陴湖不仕"。

"贾沅犀，握中弟也。刻苦好学，与白乐天刘翕习并二张齐名，时称符离五子。遇独晚，登元和中进士。"

① 朱金城：《白居易研究》，陕西人民出版社1982年版，第172—173页。
② 朱金城：《白居易研究》，陕西人民出版社1982年版，第39页。
③ 张邻，周殿杰：《唐代江淮地域概念试析》，《学术月刊》1986年第2期。
④ 胡可先：《〈登科记考〉匡补》，《文献》1988年第1期。

总之，"符离五子"不仅可补清人徐松《登科记考》的疏漏，而且可补唐代宿泗二州进士的空白。

二

元和六年（811年）登进士甲科的王质，《旧唐书》卷一六三《本传》说："太原祁人，父潜，扬州天长丞。……（质）寓居寿春，躬耕以养母，专以讲学为事，门人授业者大集其门。"《新唐书》卷一六四《本传》也说："王质字华卿，五世祖通为隋大儒，质少孤，客寿春，力耕以养母，讲学不倦。"

《旧唐书》说王质是太原祁人，不过是标榜太原王氏的招牌，溯其郡望而已。实际上王质五世祖王通已离开太原，居住在河、汾之间的龙门（今山西河津县）。王质的父亲当过扬州天长丞的小官，去世较早，所以史云"质少孤"。当时天长县往东南的大城市是扬州，西北方向的大城市，要数淮水南岸的寿州了。推测王质的父亲去世后，他就移住寿春，在此"躬耕"、"讲学"。四十岁以后，又从寿春出发两上长安应进士试。从王质的履历可见，他与韩愈、白居易等寓皖人士不同。韩愈青少年时期在宣州依其嫂生活七年；白居易在符离生活三、四年，又在宣州参加乡试，然后从宣州荐送到长安的。因此，可以说韩愈、白居易是流寓之士，不可以说王质也是流寓之士。我们注意到王质的父亲曾任天长县丞，很可能王质出生于天长；他又长期居住于寿春。可谓生于皖，长于皖。基于上述理由，我们把王质列为唐代寿州进士，或许可成立。

嘉靖《寿州志》卷七《人物纪·名贤》："裴严，进士，举贤良方正，策第一，拜拾遗。以太常少卿权京兆尹。"检《旧唐书》卷一六六《庞严传》，寿春人庞严，进士举后又应制举，所历官拾遗、太常少卿、权知京兆尹，与裴严同。二人恐为一人。嘉靖《寿州志》里"裴"字误，应为"庞"。

太和六年（832 年）贾𫗧榜进士毕诚，《旧唐书》卷一七七《本传》说："毕诚者字存之，郓州须昌人也。"《新唐书》卷一八三《本传》未说何处人氏，只说"世失官为盐估"，与《北梦琐言》卷三"唐朝毕诚，吴乡人，盐商之子"的记载相合。徐松引《永乐大典》载《苏州府志》亦谓毕诚为苏州人。① 今检乾隆《苏州府志》卷三六、同治《苏州府志》卷五九，均在《选举志》上著录毕诚，然于《人物志》无传，此固为一大疑点。相反的几种安徽地方志里提到了毕诚，尽管把他列为流寓人士。② 比较典型的记载是民国《潜山县志》，该书卷二〇《人物志·寓贤》云："唐毕诚字存之，河南偃师人，官至礼部尚书同平章事，出为河中节度使。相传诚蚤岁读书舒州主簿山中，今遗址尚存。遇异人指地葬其父母，掘土得石作潜山赋，镌其上。"

地方志又多了河南偃师人说。我们认为，结合毕诚的盐商出身来看，不难设想，毕诚父祖辈因从事商业活动的需要，往来于吴乡、东都之间；"商人重利轻别离"，自与土著世居不同。上引资料说毕诚"遇异人指地葬其父母，掘土得石作潜山赋。"此潜山在今岳西县与今潜山县交界的地方。又毕诚早年读书的主簿山，今名主簿源，亦在今岳西县城北面约三十公里。颇疑毕诚之父经商贩盐至舒州，而与当地女子缔结姻缘，故在此定居安家，卒葬斯土也。《太平广记》卷四九九《毕诚》条云：

"毕诚家本寒微。咸通初，其舅尚为太湖县伍伯，诚深耻之，常使人讽令解役，为除官。反复数四，竟不从命。乃特除选人杨

---

① 徐松：《登科记考》，中华书局 1984 年版，第 757－758 页。

② 康熙《安庆府志》卷二〇，光绪《庐州府志》卷五九，光绪《舒城县志》卷四三，民国《潜山县志》卷二〇，光绪重修《安徽通志》卷二六四。

载为太湖令，诚延之相第，嘱之为舅除其猥籍，津送入京。杨令到任，具达诚意。伍伯曰：某贱人也，岂有外甥为宰相耶？杨坚勉之，乃曰：某每岁秋夏，恒相享六十千事例钱，苟无败缺，终身优足，不审相公欲除何官耶？杨乃具以闻诚，诚然其说，竟不夺其志也。"

这里说毕诚的舅舅在太湖县衙门当差，是一位胥吏，毕诚为什么深深地感到耻辱呢？为什么三番五次地派人"讽令解役"、"除其猥籍"呢？显然，这位胥吏老舅是他的嫡亲娘舅。张泽咸先生指出，这些"诸色胥吏"，他们一般都在本籍工作，从某种意义上说，他们是在服役。① 唐人也说："里胥者，皆乡县豪吏，族系相依。"② 由此观之，毕诚的母系亲属确为舒州人，再加上他的父母坟墓葬在潜山脚下以及他早年读书的遗址，可以断定，毕诚实为生长舒州的人士。

《登科记考》卷二二："储嗣宗，大中十三年（859年）孔纬榜及第"。但储嗣宗爵里不明。据光绪《庐州府志》卷三〇、光绪《庐江县志》卷七、光绪重修《安徽通志》卷一五四，均说明储嗣宗是庐江县人。嗣宗"与顾非熊先生相结好，大得诗名。苦思梦索，所谓逐句留心，每字著意，悠然皆尘外之想。"③ 看来他的诗风属于贾岛一流。

又，光绪《庐江县志》卷七说储嗣宗是"大历十子之一"。实误。按大历十才子差不多都生在"开元盛世"，亲身经历了安史之乱。若以此推算，大中十三年（859年）嗣宗当在一百二十岁左右，如许高寿，怎能参加进士科的三场考试呢？

① 张泽咸：《唐代的衣冠户和形势户》，《中华文史论丛》1980年第3辑。
② 王谠：《唐语林校证》卷一《政事上》，中华书局1987年版，第62页。
③ 《唐才子传》卷八，文渊阁四库全书本。

三

施子愉《〈登科记考〉补正》云："《全唐诗》第九函第八册
林宽诗有《送谢石先辈归宣州》诗，是谢石曾进士登第也。《登科
记考》未录，可补入附考。"①

查《全唐诗》卷六〇六，有侯官人林宽《送谢石先辈归宣州》
诗，同卷又有林宽《送许棠先辈归宣州》诗，可证谢石与林棠同
时，惟谢石究属宣州何县以及登第年份不详。

郑谷《贺进士骆用锡登第》："苦辛垂二纪，擢第却沾裳。春
榜到春晚，一家荣一乡。题名登塔喜，醵宴为花忙。好是东归日，
高槐蕊半黄"。②《登科记考·附考》著录骆用锡。又检民国《南
陵县志》卷一九《选举志》："骆用锡，乾符己亥张读榜"。说明骆
用锡是宣州南陵县人，乾符六年（879 年）张读榜进士。按是年进
士三十人，徐松只考出一人，骆用锡可补是年之缺。

嘉靖《池州府志》卷七《人物篇》：唐进士胡楚宾。综合两
《唐书》的记载可知，胡楚宾，秋浦人，是武则天时写作班子"北
门学士"的重要成员，凡武后所著书，都是胡楚宾等人撰写。③
《登科记考》无其人，然胡楚宾以"文词"显，又逢高宗、武后崇
尊进士科的时期，殆必以辞艺进身之人。

咸通二年（861 年）及第进士，还有秋浦人王季文。④ 王季文
任过秘书郎，"寻谢病归，筑室头陀岭下，日浴龙潭，人见之，风
雨不失期。"⑤ 他死后舍室为寺，即无相寺，现在是九华山最古老

---

① 《文献》1983 年第 1 期（第十五辑）。
② 《全唐诗》卷六七四，中华书局 1960 年版，第 7716 页。
③ 《旧唐书》卷一九〇中《文苑中》，《新唐书》卷二〇一《文艺上》。
④ 徐松：《登科记考》卷二七，光绪重修《安徽通志》卷一五四。
⑤ 光绪《青阳县志》卷四《人物志·隐逸》。

的寺庙之一。

唐昭宗乾宁四年（897 年）薛昭伟榜进士，有池州九华人韦象，见《登科记考》卷二四。

《唐诗记事》卷七一："伍唐珪，唐末进士也。"徐松《登科记考·附考》著录其人，《全唐诗》卷七二七伍唐珪条云：江西宜春人。光绪《贵池县志》卷一八《选举志》：唐光化元年（898 年）进士伍唐珪。二者究为谁是，暂存疑待考。

现依以上所考，将其结果（含《唐代安徽进士考》）排列如次：

（1）今淮北地区。

颍州：张路斯。亳州：戴孚、奚陟、李绅、夏侯孜。宿州：刘翕习、张仲素、张美退、贾握中。

（2）今淮南地区。

寿州：庞严、王质。庐州：卢储、李群、储嗣宗。和州：张籍。舒州：曹松，毕诚。

（3）今皖南地区。

宣州：刘太真、刘太冲、张维俭、罗立言、汪遵、许棠、谢石、骆用锡。

池州：费冠卿、孟迟、卢嗣立、张蠙、周繇、张乔、武瓘、康骈、杜荀鹤、殷文圭、胡楚宾、王季文、韦象。

歙州：吴少微、程谏、王希羽、汪极。

原载《学术界》1989 年第 5 期。

北魏官学初探

　　鲜卑拓跋部建立的北魏王朝，在我国历史上有重要地位。对北魏历史的研究，学术界多侧重于政治、经济诸方面，而在教育方面，尚少论述。本文试对北魏官学发展的阶段、特点及其作用，作一点探讨。

一

　　北魏的官学，包括中央官学和地方官学两类学校。其发展大致可分为三个阶段。第一阶段，从公元 386 年至 465 年，经历道武、明元、太武、文成四世，此为发展期。

　　道武帝"初定中原"，建都平城后，"便以经术为先，"① 设立国子学，置五经博士，招收太学生员一千余人。399 年，国子太学生员人数增至三千。同年，采纳博士李先的建议，诏令郡县，收集经籍，送往平城。401 年，又祭先师孔子。这些都说明了北魏统治者已经认识到：教育是不可忽视的重要环节，它可以促进拓跋社会的进步。

　　明元帝即位不久，"改国子学为中书学，"② 这一名称的变易，可能是隶属中书省的缘故，并没有改变国子学的教育性质。因为，

---

　　① 《魏书》卷八四《儒林传》。
　　② 《魏书》卷八四《儒林传》。

中书学还是个"学"，其教育对象也还是"国子"。

太武帝尤其重视中书学的建设。426 年，"别起太学于城东"，①太学即中书学的异称，此举无疑是扩大中书学的校舍规模。431年，太武帝征召高允等北方大姓代表，进入中书学担任教授。439年，北魏灭掉河西走廊的北凉政权后，又吸收一批"凉土文华"②之士，充实了中书学的师资。

在太武帝的倡导下，大批汉族衣冠人物纷纭入朝，大批鲜卑子弟进学习儒，出现了"魏之儒风始振"③的局面。

第二阶段，从公元 465 年至 525 年，经历献文、孝文、宣武、孝明四世，此阶段是昌盛期。

献文帝在位五年，至孝文帝太和十四年（490 年），实际上是冯太后临朝称制时期。冯氏掌握最高决策权力二十余年，④对于官学教育的贡献主要有两点：

（1）确立汉族文宗的正统地位，作为教育的指导思想。472年，诏定祭祀孔庙的礼仪制度，后于京师立孔庙，封孔子二十世孙孔乘为崇圣大夫，给十户以供洒扫。对于拓跋部原始巫觋文化"严加禁断"，⑤483 年，又下令禁止鲜卑同姓为婚的代北旧习。这些措施，显为确立儒家正统地位而扫清障碍，旨在提高拓跋社会的汉化程度。

（2）创建皇宗学、地方官学。466 年，冯太后采纳了中书令高允、相州刺史李诉的建议，"于州郡所各立学官"，⑥诏高允参议其事，起草有关章程。对于大郡、中郡、下郡所设博士、助教、学

①　《魏书》卷八四《儒林传》。
②　《北史》卷三四《段承根传》。
③　《资治通鉴》卷一二三，元嘉十六年十二月条。
④　何兹全：《读史集》，上海人民出版社1982年版，第237页。
⑤　《北史》卷三《魏本纪》，太和九年正月条。
⑥　《魏书》卷四六《李诉传》。

生的人数、人选等均作出详细规定。在北魏史上第一次建立了地方官学的规模。

据《北史》卷一九《咸阳王僖传》记载："文明太后令皇子皇孙于静所别置学，选忠信博闻之士为之师傅，以匠成之"。又《资治通鉴》卷一三六永明三年（485年）记载："文明太后令置学馆，选师傅以教诸王。勰于兄弟最贤，敏而好学，善属文，魏主尤奇爱之"。很清楚，冯太后为使拓跋贵族知识化，在"静所"设置的"学馆"，是一所培养皇室子弟的"皇宗学"。有学者认为"皇宗学"是冯太后死后的太和十六年（492年）设置，恐有误。①

485年，北魏又改中书学为国子学。国子学名称的恢复，意味着北魏高等教育机构依照汉家制度正规化。493年，孝文帝迁都洛阳后，又于国子学、皇宗学外，增设国子太学、四门小学。教育机构的增加，显然系加快培养统治人才的步伐，促使拓跋贵族进一步汉化，以适应迁洛后新时期的需要。

由于"军国多事，未遑营立"，② 洛阳的国学校舍正式落成约在公元513年。③《魏书》卷五三《李郁传》说："自国学之建，诸博士率不讲说，朝夕教授，唯郁而已"。李郁任国子博士大约在518年前后，④ 521年，"肃宗（孝明帝）幸国子学，讲孝经。三月庚午，帝幸国子学，祠孔子，以颜渊配"。⑤ 国学校舍的落成，有着李郁等"朝夕教授"，皇帝甚至亲临讲学，举行祭典，表明国子学已恢复了正常的教学秩序。

---

①　熊明安：《中国高等教育史》，重庆出版社1983年版，第123页。

②　《魏书》卷五六《郑道昭传》。

③　《魏书》卷八《世宗纪》云：宣武帝曾三次诏令"营缮国学"，最后一次是延昌元年（512年），"可敕有司，国子学孟冬使成，太学、四门明年暮春令就"。故推测国学校舍正式落成于513年。

④　《魏书》卷六七《崔光传》。

⑤　《魏书》卷九《肃宗纪》。

第三阶段，从公元 525 年至 534 年，此为衰落期。

523 年，六镇人民大起义爆发，北魏政权开始动摇。528 年，山西军阀尔朱荣进入洛阳，一度执政。不久演变成高欢、宇文泰两大势力的纷争。史载："暨孝昌（525 年）之后，海内淆乱，四方校学所存无几"。① 官学的衰微，实质上是北魏统治名存实亡在教育上的反映。

二

据上所述，北魏中央官学包括中书学（即国子学）、太学、四门学、皇宗学。中央官学等机构的确立，不仅打破了汉代以来太学的单一局面，而且为隋唐中央六学二馆之渊源。在中国教育史上具有承上启下的地位。

官学的教师由博士、助教担任。据太和官制：皇宗博士第六品下阶，国子博士从五品上阶，太学博士第六品中阶，中书博士品级不详，大概相当国子博士。② 他们的官阶不算太高，但由于他们都是当时的经师硕儒，承担着向拓跋贵族输入封建文化的任务，因此，往往升迁较快。观崔浩、高允、崔光诸人便知。

官学教师的来源：一是由皇帝征召任命，如太武帝征召高允等人。二是由官吏荐举而任命，如高允推荐高聪、蒋少云为中书博士。③ 三是通过考试而任命，"世祖诏州郡举贤良，（李）祥应贡，对策合旨，除中书博士"，④ 即为此例，还有从学生中提拔师资的一途。如公孙质，"初为中书学生，稍迁博士"。⑤ 又，太武帝

---

① 《魏书》卷八四《儒林传》。
② 《魏书》卷一一三《官氏志》。
③ 《魏书》卷九一《蒋少游传》。
④ 《魏书》卷五三《李孝伯附李祥传》。
⑤ 《魏书》卷三三《公孙表附公孙质传》。

"诏崔浩选中书学生器业优者为助教。浩举其弟子箱子与卢度世、李敷三人应之",但太武帝却选除李䜣为"中书助教博士"。①

众所周知,南北朝是门阀社会,高门多为学门。官学师资一般都为士族所垄断,像李彪那样"家世寒微"而为"中书教学博士",②倒是十分罕见。

当时官学的学生,一般也都是"京师大族,贵游之子"。③兹引下例史料,以为说明。《魏书》卷三三记载:张昭,"天兴中,以功臣子为太学生"。"王嶷,少以父任为中书学生"。《魏书》卷四〇记载:陆凯"谨重好学,年十五,为中书学生"。《北史》卷二七记载:李䜣,父崇为北幽州刺史,"使(䜣)入都,为中书学生"。又《魏书》卷五三记载:"兴安二年(453年),高宗(即文成帝)引见侍郎、博士之子,简其秀儁者欲为中书学生。(李)安世年十一,高宗见其尚小,引问之。安世陈说父祖,甚有次第,即以为学生"。又《魏书》卷三六记载:"正光二年(521年)二月,肃宗讲于国子堂,召(李)宪预听,又以子骞为国子生"。

由上可知,必须是"功臣子","侍郎、博士之子",必须有"父任",方可凭借父祖余荫的子弟,才享受入学资格。地方官学的学生"取郡中清望,人行修谨,堪循名教者,先尽高门,次及中第"。④不难看出,北魏官学具有身份限制的特点。

官学的教材是儒家的五经,当时南北分裂既久,儒家学说也分为"南学"、"北学"两大派。大抵北方经学恪守传统经学的核心,号称"深芜"、"广博",与南方玄学化的经学,好尚不同。北

---

① 《魏书》卷四六《李䜣传》。
② 《魏书》卷六二《李彪传》:"李彪,字道固,顿丘卫国人。家世寒微,少孤贫,有大志,笃学不倦。遂举孝廉,至京师馆而受业焉。"
③ 《魏书》卷五二《索敞传》。
④ 《魏书》卷四八《高允传》。

方经学"专宗郑、服"，汉代学者郑玄所注的《周易》、《尚书》、《毛诗》、《周礼》、《仪礼》、《礼记》等，汉代学者服虔注的《左氏春秋》，成为北魏官学（包括私学）讲授的主要课程，也即学生修习的主要教材。

应当指出，遵守传统经学的北学，虽仍在经疏章句之学中转圈子，比较保守，缺乏玄学那种抽象思辨的学风。但是，这种观念形态的封建文化，与刚刚迈进文明门槛的拓跋社会，是较为吻合的。又"由于北人俗尚朴纯，未染清言之风、浮华之习，故能专宗郑、服，不为伪孔、王、杜所惑。此北学所以纯正胜南也"。① 就是说北学没有染上崇尚虚无的玄学味，故能吸取传统儒家中务实、进取的要点，从而造成一代务实之学风。可见，当时北方教材笃守汉学，这是北魏官学的又一重要特点。

迁洛以后，"时天下承平，学业大盛，故燕齐赵魏之间，横经著录，不可胜数。大者千余人，小者犹数百。州举茂异郡贡孝廉，对扬王庭，每年逾众"。② 反映出私学兴盛的状况。当时私学集中了一些著名学者，如徐遵明（474—529）讲学二十余年，先后在他门下受业的弟子即达一万多人，其中有不少著名人物。

值得注意的是，一些重视教育的官员，常常延请著名学者前往官学讲学，互相切磋，出现了官学与私学相结合的趋势。如广平王元怀"征（徐）遵明在馆，令（李）郁问其五经义例十余条，遵明所答数条而已"。③ 又如，世宗初，崔休出守渤海，"时大儒张吾贵有盛名于山东，四方学士咸相宗慕，弟子自远而至者恒千余人。生徒既众，所在多不见容。休乃为设俎豆，招延礼接，使肆业而还，儒者称为口实"。④ "刘兰，武邑人，明阴阳，博物多识，

---

① 皮锡瑞：《经学历史》，中华书局 1959 年版，第 182 页。
② 《北史》卷八一《儒林传》。
③ 《魏书》卷五三《李郁传》。
④ 《魏书》卷六九《崔休传》。

为儒者所宗，瀛洲刺史裴植征兰讲书于州城南馆，植为学主，故生徒甚盛，海内称焉"。① 地方官学吸收的著名学者，往往都是第一流的，用来提高官学的质量，此措施非常允当。官学与私学联系的加强和渗透，这是北魏官学的第三个特点。

三

最后谈谈北魏官学的社会作用。

鲜卑拓跋部原是一个文化很低、社会落后的民族，它在不太长的时期内迈入文明门槛，并成功地完成了对北方的统治，一个重要的历史经验就是统治者重视教育。

道武帝早在建国之初，就开始任命儒者梁越"授诸皇子经"，②以后历代相沿，至冯太后，在此基础上又创建皇宗学，造就出孝文帝这一代汉化程度颇高的鲜卑贵族。他们已完全不同于那些弯弓盘马的祖辈。

史言孝文帝"雅好读书，手不释卷。《五经》之义，览之便讲，学不师受，探其精奥。史传百家，无不该陟"。③ 俨然是一位博雅的学者。彭城王元勰"敏而耽学，不舍昼夜，博综经史，雅好属文"，曾写出"问松林，松林经几冬？山川何如昔，风云与古同"。④ 之佳作。任城王元澄"少而好学"，孝文帝在皇信堂举行的宗宴上，"特令澄为七言连韵，与高祖往复赌赛"。南朝使者赞到："往魏任城以武著称，今魏任城以文见美"⑤ 确实，这一批"以文

---

① 《魏书》卷八四《儒林传》。
② 《魏书》卷八四《儒林传》。
③ 《魏书》卷七下《高祖纪》。
④ 《魏书》卷二一下《彭城王勰传》。
⑤ 《魏书》卷一九中《任城王澄传》。

见美"人才的出现，可以说是官学教育的硕果。

前引"年十五，为中书学生"的陆凯的父祖辈，属于代北八姓的军功贵族。至陆凯，因受过中书学的教育，故能支持孝文帝"革变旧风"的政策，与那些坚持原有意识和感情的国戚旧人，迥然不同。

马克思说过："野蛮的征服者总是被那些他们所征服的民族的较高文明所征服，这是一条永恒的历史规律"。[①] 北魏官学不自觉地遵循这条历史规律，把"以武著称"的拓跋贵族改造成汉文化素养较高的彬彬文士，顺应了当时与汉族融为一体的趋势，从而推动了拓跋社会的进步，促进了北魏政权的汉化、封建化。

上文提及北方官学教材具有务实的特点，它对于北方社会务实学风的形成，作用颇大。当时出现的一批有影响、有价值的重要著作，无一不与务实有关。

比如《水经注》、《齐民要术》的作者，都很注重实地考查。郦道元为写《水经注》，亲自"访渎搜渠，缉而缀之，经有谬误者，考以附正"。[②] 贾思勰《齐民要术·自序》说："采捃经传，爰及歌谣，询及老成，验之行事"，终于写成泽溉后世的农学巨著。这两部书今天仍具参考价值。《水经注》详记全国及邻国的水道，在叙水道所经山川、城市、遗迹和地理变迁之时，旁及风俗、物产、人物等掌故，具有较高的史学、地理学价值。书中对战国以来的农田水利建设，如陂塘、堤堰的兴废均有记载。这些记载，对于我们今天抗旱防涝的水利建设仍有参考价值。《齐民要术》不仅集西周至北朝农业生产之大成，而且反映了当时北方地区的农村生活及经济状况。其中关于耕田、土壤改良、选种、换茬、轮种、施肥、灌溉、田间管理等农业生产技术及经验总结，对于我

---

① 《马克思恩格斯选集》第二卷，人民出版社1972年版，第70页。

② 王国维：《水经注校·郦道元水经注叙》，上海人民出版社1984年版。

们今天也不失借鉴作用。[①] 还有颜之推著《颜氏家训》，立论平实。在南方浮华北方粗野的气氛中，《颜氏家训》保持平实的作风，自成一家言，所以被看做处世的良轨，广泛地流传在士人群中。

范文澜先生指出："南朝重要著作都是文学，北朝重要著作多切实用，北士著书远比南士少，贡献却比南士多"。[②] 范老揭示的北朝著作"多切实用"，贡献超过南朝，可谓鞭辟入里。之所以出现这些著作，当与务实学风之作用密切相关。

原载《兰州大学学报》（社会科学版）1988 年第 2 期。

---

① 舒顺林：《拓跋鲜卑的南迁与其在我国历史上的作用》，《内蒙古师大学报》1984 年第 4 期。

② 范文澜：《中国通史》第二册，人民出版社 1978 年第 5 版，第 666 页。

附录二

芜湖通史参考书目

（一）史料与典籍

杜预，等：《春秋三传》，上海古籍出版社，1987 年。

司马迁：《史记》，中华书局，1959 年。

班固：《汉书》，中华书局，1962 年。

范晔：《后汉书》，中华书局，1965 年。

陈寿：《三国志》，中华书局，1959 年。

缪钺：《三国志选注》，中华书局，1984 年。

袁康，吴平：《越绝书》，上海古籍出版社，1985 年。

许嵩：《建康实录》，上海古籍出版社，1987 年。

李吉甫：《元和郡县图志》，中华书局，1983 年。

顾祖禹：《读史方舆纪要》，中华书局，2005 年。

司马光，等：《资治通鉴》，中华书局，1956 年。

脱脱，等：《宋史》，中华书局，1977 年。

宋濂，等：《元史》，中华书局，1976 年。

张廷玉，等：《明史》，中华书局，1974 年。

赵尔巽，等：《清史稿》，中华书局，1977 年。

（二）著作类

翦伯赞：《中国史纲要》，人民出版社，1983 年。

白寿彝，等：《中国通史》，上海人民出版社，1994 年。

朱绍侯，等：《中国古代史》，福建人民出版社，2000 年。

何沁：《中华人民共和国史》，高等教育出版社，1999 年。

陈振：《宋史》，上海人民出版社，2003 年。

张其凡：《宋代史》，澳亚周刊出版有限公司，2004 年。

何忠礼，等：《南宋史稿》，杭州大学出版社，1999 年。

南炳文，汤纲：《明史》（上、下），上海人民出版社，2003 年。

顾诚：《南明史》，中国青年出版社，2003 年。

李治亭：《清史》（上、下），上海人民出版社，2002 年。

中共中央党史研究室：《中国共产党简史》，中共党史出版社，
2001 年。

顾颉刚：《苏州史志笔记》，江苏古籍出版社，1987 年。

李则纲：《安徽历史述要》（上、下），安徽省地方志编纂委员
会，1982 年。

李天敏：《安徽历代政区治地通释》，安徽省文化厅文物志编
辑室，1986 年。

芜湖市地方志办公室：《芜湖风光揽胜》（上、下），黄山书
社，2006 年。

芜湖市地方志办公室：《芜湖工业百年》，黄山书社，2008 年。

芜湖市地方志办公室：《芜湖军事风云》，黄山书社，2010 年。

薛良椿：《芜湖县地名传奇》，安徽人民出版社，1995 年。

中共芜湖市委党史研究室：《中国共产党芜湖地方史》，安徽
人民出版社，2006 年。

游国恩，等：《中国文学史》，人民文学出版社，1963 年。

薄一波：《若干重大决策与事件的回顾》，人民出版社，1997年。

傅衣凌：《傅衣凌治史五十年文编》，中华书局，2007年。

韦庆远：《中国政治制度史》，中国人民大学出版社，1989年。

郑学檬：《简明中国经济通史》，人民出版社，2005年。

齐陈骏：《枳室史稿》，甘肃文化出版社，2005年。

李天石：《中国中古良贱身份制度研究》，南京师范大学出版社，2004年。

万绳楠：《魏晋南北朝史论稿》，安徽教育出版社，1983年。

陈国灿：《唐代的经济社会》，台北文津出版社，1999年。

华觉明，等：《世界冶金发展史》，科学技术文献出版社，1985年。

张秉伦，等：《安徽科学技术史稿》，安徽科学技术出版社，1990年。

程民生：《宋代地域经济》，河南大学出版社，1992年。

程民生：《宋代地域文化》，河南大学出版社，1997年。

程民生：《中国北方经济史》，人民出版社，2004年。

（日）斯波义信：《宋代江南经济史研究》，江苏人民出版社，2001年。

朱东润：《梅尧臣集编年校注》，上海古籍出版社，1980年。

朱东润：《陆游传》，百花文艺出版社，2003年。

黄启芳：《黄庭坚研究论集》，安徽人民出版社，2005年。

周启成：《杨万里与诚斋体》，上海古籍出版社，1990年。

杨镰：《元诗史》，人民文学出版社，2003年。

宗力，刘群：《中国民间诸神》，河北人民出版社，1986年。

吴晗：《朱元璋传》，三联书店，1965年。

何龄修：《五库斋清史丛稿》，学苑出版社，2004年。

刘子杨：《清代地方官制考》，紫禁城出版社，1988年。

（美）魏斐德：《洪业—清朝开国史》，江苏人民出版社，1998 年。

张海鹏，王廷元：《徽商研究》，安徽人民出版社，1995 年。

张海鹏，等：《安徽文化史》（上、中、下），南京大学出版社，2000 年。

刘尚恒：《二余斋说书》，河北教育出版社，2004 年。

冯尔康：《生活在清朝的人们》，中华书局，2005 年。

常建华：《岁时节日里的中国》，中华书局，2006 年。

赵崔莉：《清代皖江圩区社会经济透视》，安徽人民出版社，2006 年。

黄钺：《壹斋集》（上、下），黄山书社，1999 年。

潘纶恩：《道听途说》，黄山书社，1998 年。

章有义：《明清及近代农业史论集》，中国农业出版社，1997 年。

刘金声，曹洪涛：《中国近现代城市的发展》，中国城市出版社，1998 年。

张南，等：《简明安徽通史》，安徽人民出版社，1994 年。

翁飞，等：《安徽近代史》，安徽人民出版社，1990 年。

戴惠珍，等：《安徽现代史》，安徽人民出版社，1997 年。

郭万清，朱玉龙：《皖江开发史》，黄山书社，2001 年。

马茂棠：《安徽航运史》，安徽人民出版社，1991 年。

程必定：《安徽近代经济》，黄山书社，1989 年。

王鹤鸣，施立业：《安徽近代经济轨迹》，安徽人民出版社，1991 年。

王鹤鸣：《芜湖海关》，黄山书社，1994 年。

程玉海，等：《聊城通史》，中华书局，2005 年。

徐则浩：《安徽抗日战争史》，安徽人民出版社，2005 年。

杨明：《皖南星火》，安徽人民出版社，1985 年。

王善德：　《战斗在皖南沿江地区》，合肥工业大学出版社，

2005 年。

章征科：《从旧埠到新城：20 世纪芜湖城市发展研究》，安徽人民出版社，2005 年。

沈世培：《文明的撞击与困惑—近代江淮地区经济和社会变迁研究》，安徽人民出版社，2006 年。

当代安徽研究所：《当代安徽简史》，当代中国出版社，2001 年。

程必定： 《皖江文化与东向发展》，合肥工业大学出版社，2007 年。

芜湖日报编辑部：《话说芜湖》，1959 年。

中共安徽省委中级党校政治经济学教研室：《芜湖纺织厂史》，安徽人民出版社，1960 年。

芜湖市工人创作组：《鸠江怒潮》，安徽人民出版社，1976 年。

唐晓峰，等：《芜湖市历史地理概述》，芜湖市城建局，1979 年。

王石城：《萧云从》，上海人民美术出版社，1979 年。

王涌，沐昌根：《芜湖》，安徽人民出版社，1982 年。

芜湖市文化局：《芜湖古今》，安徽人民出版社，1983 年。

安徽师范大学校史编写组：《安徽师范大学简史》，1983 年。

刘人云：《芜湖一中校史》，1987 年 3 月。

鲍亦骐：《芜湖港史》，武汉出版社，1989 年。

濮之琦：《芜湖风土记》，安徽人民出版社，1993 年。

濮继鑫：《芜湖历史》，芜湖市教育科学研究所，1998 年。

管德明：《烛花》，合肥工业大学出版社，2003 年。

郭静洲：《雕虫斋文存》，香港天马图书有限公司，2004 年。

裘士京：《江南铜研究—中国古代青铜铜源探索》，黄山书社，2004 年。

王永祥：《走进铁画》，北岳文艺出版社，2005 年。

王东：《历史上的芜湖》，芜湖市科学技术协会，2008 年。

姚永森：《长江重镇芜湖之谜》，安徽人民出版社，2009 年。

茆耕茹：《仪式·信仰·戏曲丛谈》，黄山书社，2009 年。

杨国宜：《求索集》，安徽师范大学出版社，2010 年。

芜湖市师专 1978 级中文专业：《三十年忆往》，2010 年 11 月。

芜湖市新四军历史研究会：《中江潮》，2001 年。

（三）地方志

赵宏恩，等：乾隆《江南通志》，文渊阁四库全书本。

黄桂，等：康熙《太平府志》，光绪二十九年（1903 年）活字本。

陆纶，等：乾隆《太平府志》，中国地方志集成本。

葛天策，等：康熙《芜湖县志》，芜湖市地方志办公室复印本。

陈春华，等：嘉庆《芜湖县志》，民国二年活字本。

鲍实，等：民国《芜湖县志》，中国地方志集成本。

张星焕，等：道光《繁昌县志》，中国地方志集成本。

徐乃昌，等：民国《南陵县志》，中国地方志集成本。

安徽省地方志编纂委员会：《安徽省志》，方志出版社，1999 年。

（日）东亚同文会：《支那省别志》第 12 卷《安徽省》。

芜湖市地方志编纂委员会：《芜湖市志》（上），社会科学文献出版社，1993 年。

芜湖市地方志编纂委员会：《芜湖市志》（下），社会科学文献出版社，1995 年。

芜湖县地方志编制委员会：《芜湖县志》，社会科学文献出版社，1993 年。

繁昌县地方志编制委员会：《繁昌县志》，南京大学出版社，1993 年。

南陵县地方志编制委员会：《南陵县志》，黄山书社，1994 年。

芜湖市地方志办公室:《芜湖人物志略》,1988年。

刘洪谟,王廷元:《芜关榷志》,黄山书社,2006年。

《繁昌县粮食志》,繁昌县粮油食品厂,1986年。

南陵县粮食局粮食志编写组:《南陵县粮食志》,黄山书社,1993年。

(四) 档案等资料

中共安徽省委党史工作委员会:《中共安徽党史大事记(1919—1949)》安徽人民出版社,1992年。

《安徽文史资料选辑》第一辑,内部刊行,1964年。

《安徽文史资料选辑》第二辑,内部刊行,1982年。

《安徽文史资料选辑》第四辑,内部刊行,1982年。

《安徽文史资料选辑》第五辑,内部刊行,1982年。

《安徽文史资料选辑》第八辑,内部刊行,1982年。

《安徽文史资料》第十辑,内部刊行,1982年。

《安徽文史资料选辑》第十一辑,内部刊行,1982年。

《安徽文史资料》第十二辑,内部刊行,1983年。

《安徽文史资料选辑》第十四辑,内部刊行,1983年。

《安徽文史资料》第十五辑,安徽人民出版社,1983年。

《安徽文史资料》第十七辑,安徽人民出版社,1983年。

《安徽文史资料》第十九辑,安徽人民出版社,1984年。

《安徽文史资料》第二十辑,安徽人民出版社,1984年。

《安徽文史资料》第二十二辑,安徽人民出版社,1984年。

《安徽文史资料全书(芜湖卷)》编委会:《安徽文史资料全书(芜湖卷)》,安徽人民出版社,2007年。

《芜湖文史资料》第三辑,内部刊行,1987年。

《芜湖文史资料》第五辑,内部刊行,1992年。

中国人民解放军历史资料丛书编审委员会：《新四军文献》，解放军出版社，1995 年。

中国人民解放军历史资料丛书编审委员会：《新四军参考资料》，解放军出版社，1991 年。

全国政协文史资料委员会：《抗日战争写真》（4），中国文史出版社，2005 年。

全国政协文史资料委员会：《日伪罪行实录》（5），中国文史出版社，2005 年。

上海市新四军暨华中抗日根据地历史研究会：《华中抗日斗争回忆》第 8 辑，1987 年。

安徽省档案馆，安徽省博物馆，新四军军部旧址纪念馆：《新四军在皖南》（1938—1941），内部发行，1985 年。

中共安徽省委党史研究室：《日本军国主义祸皖罪行辑录》，内部资料，2005 年。

安徽省政协文史资料委员会：《辛亥风雷》，安徽人民出版社，1987 年。

安徽省政协文史资料委员会：《工商史迹》，安徽人民出版社，1987 年。

安徽省政协文史资料委员会：《革命狂飙》，安徽人民出版社，1987 年。

安徽省政协文史资料委员会：《抗战风云》，安徽人民出版社，1987 年。

安徽省政协文史资料委员会：《解放战争》，安徽人民出版社，1987 年。

中共安徽省党史工作委员会：《安徽现代革命史资料长编》第一卷，安徽人民出版社，1986 年。

王乐平：《安徽现代革命史资料长编》第三卷，安徽人民出版社，1995 年。

章有义：《中国近代农业史资料》第二辑，生活·读书·新知三联书店，1957 年。

彭泽益：《中国近代手工业史资料：1840—1949》第一卷，中华书局，1984 年。

彭泽益：《中国近代手工业史资料：1840—1949》第二卷，中华书局，1984 年。

上海市档案馆：《日本在华中经济掠夺史料（1937—1945）》，上海书店出版社，2005 年。

中国第二历史档案馆：《中华民国史档案资料汇编》第五辑第二编附录，江苏古籍出版社，1997 年。

中国第二历史档案馆：《中华民国史档案资料汇编》第五辑第三编《财政经济》，江苏古籍出版社，2000 年。

严中平，等：《中国近代经济史统计资料选辑》，科学出版社，1955 年。

金陵大学农业经济系：《豫鄂皖赣四省之租佃制度》，金陵大学农学院，1936 年。

《豫鄂皖赣四省土地分类之研究·芜湖土地产量》，金陵大学农业经济系调查编纂，民国二十五年六月。

邹义开：《安徽大事记资料》（上、下），安徽省地方志编纂委员会，1986 年。

安徽省地方志办公室：《安徽水灾备忘录》，黄山书社，1991 年。

当代中国丛书编委会：《当代中国的安徽》（上、下），当代中国出版社，1992 年。

《中国共产党安徽省芜湖市组织史资料》（1926.4—1987.11），安徽人民出版社，1993 年。

中共芜湖市委党史研究室：《中共芜湖党史大事记》，安徽人民出版社，2002 年。

孔凡礼：《苏轼年谱》，中华书局，1998 年。

江庆柏：《清朝进士题名录》，中华书局，2007 年。

蒋元卿：《皖人书录》，黄山书社，1989 年。

李灵年，杨忠：《清人别集总目》，安徽教育出版社，2000 年。

中国民间文学集成芜湖分卷编辑委员会：《中国民间文学集成·芜湖分卷》，黄山书社，1997 年。

芜湖市地名委员会：《安徽省芜湖市地名录》，1985 年 5 月。

繁昌县地名办公室：《安徽省繁昌县地名录》，1984 年 12 月。

芜湖县地名办公室：《安徽省芜湖县地名录》，1985 年 6 月。

马洪林，等：《中国近现代史大事记》（1840—1980），知识出版社，1982 年。

梁寒冰，魏宏运：《中国现代史大事记》，黑龙江人民出版社，1984 年。

《中国共产党中央委员会关于建国以来党的若干历史问题的决议》，人民出版社，1981 年。

芜湖专署文化局，芜湖市文化局：《百花集：芜湖地区十年文化艺术工作建设成就资料汇编》，1959 年 9 月。

王郁昭：《往事回眸与思考》，中国文史出版社，2012 年。

（五）报刊、杂志

《中央日报》（安徽版，屯溪印），1945 年 10 月 20 日。

上海《申报》，1916 年 11 月 27 日。

上海《申报》，1919 年 5 月 15 日

上海《申报》，1919 年 6 月 23 日

芜湖《工商日报》，1925 年 5 月 19 日。

芜湖《工商日报》，1927 年 4 月 21 日。

天津《大公报》，1911 年 9 月 6 日。

《学风》第 3 卷第 4 期，1933 年 5 月 15 日。

《安徽建设月刊》第 3 卷 4 号。

《东方杂志》第 31 卷第 2 号。

《安徽实业杂志》第 5 卷第 11 号，1925 年。

《皖南行政》第 9 期，1941 年。

《安徽农讯》1946 年第 1 期。

《安徽直接税通讯》（1947 年 6 月）第 1 卷，第 5 期。

《善后救济》第 1 卷第 4 期，1946 年 7 月。

《文物参考资料》，1956 年第 12 期。

《考古》1984 年第 11 期。

《鸠兹史苑》1989 年第 1 期。

　　附记：我于 2007 年初参加《芜湖通史》编撰项目，分工宋元明清（鸦片战争前）时期。迨任务完成，项目负责人又让我整理芜湖通史参考书目，在编写参考书目过程中，得到了安徽师范大学历史与社会学院沈世培教授的帮助，谨致谢意。

萧云从一首诗的写作年代

清代芜湖人黄钺《壹斋集·萧汤二老遗诗合编》收集萧云从
（字尺木）遗作七言律诗 30 首，写作年月大多不详。如果不对这
些诗作的年月进行考订，那么，就很难透辟地理解其诗意。本篇
试考订萧云从的一首诗，全诗抄录如下：

同方尔止、方位伯饮计部宋玉叔署中

粉署寒花自耐芳，升沉共叹在冰霜。
江边解醉鱼多旨，秋后题诗雁数行。
仙史有情邀待月，玉人无梦得还乡。
鸣茄苑外相催去，归度中流尚夕阳。①

诗题中"方尔止"即方文（1612—1669），安徽桐城人。入清
后云游四方，以占卜、行医谋生，是清初重要的遗民诗人。"方位
伯"即大学者方以智次子方中通（1634—1698），后以数学、天文
学闻名。"计部宋玉叔"指时任清户部主事的宋琬（1614—1674），
明清时期称户部为计部。宋琬是山东莱阳人，明末流寓江南，加
入复社，并与方文等人交好，宋琬是清初著名诗人，与宣城施闰
章齐名，时称"南施北宋"。《清史列传》卷七〇《文苑传》说宋
琬"顺治四年进士，授户部主事。七年，监督芜湖钞关。洁己恤
商，税额仍溢。累迁吏部郎中。"查检几种方志，顺治年间芜湖榷

---

① 黄钺：《壹斋集》，黄山书社 1999 年版，第 888 页。

关任职官员，均无宋琬其人，不知何故？或许和当时户关、工关并立，满汉各派一司官有关，人数过多而致漏载耶？俟后更考。但是宋琬诗集里有"岁杪方尔止过芜湖官署（《安雅堂未刻稿》卷四，七言律诗），""立春日过赭山寺（《安雅堂未刻稿》卷三，五言律诗），""遣怀诗序云：芜署最隘，拓小屋一间为书舍。《安雅堂诗》，七言律九十首"诸诗，① 可见宋琬确实在芜湖榷关工作过。

总之，宋琬在芜湖关的任职时间，关系到考定萧云从此诗的写作年代。沿着《清史列传》提供的顺治七年（1650 年）的线索，我们又从方文诗集中找到一些佐证材料。方文诗集《嵞山集》署有干支纪年。顺治六年（1649 年）己丑，方文写下"芜湖访宋玉叔计部感旧四首，""祀灶日宿宋玉叔官舍有感"。按祀灶日为农历腊月二十三日，民间习俗有"小年"之称，可与宋琬"岁杪方尔止过芜湖官署"相印证。顺治七年（1650 年）庚寅，方文写下"初度日宋玉叔计部载酒见访因偕萧尺木罗天成登范罗山限春光二字"，"雨夜宿宋玉叔署斋分韵明日将之宛陵"（该诗有"只恐君行后，无人知我饥"之句）等诗。② 细研方文诗篇，再参以宋琬的诗，可知宋琬任职时间为顺治六年（1649 年）至顺治七年（1650 年）秋。这也符合当时"榷关使者"任期一年的规定。

现在，回到萧云从诗上来。据萧诗次联"秋后题诗雁数行"，其时当为秋季。颈联里"仙史"通"仙曹"、"仙使"，与首联里"粉署"（尚书省之别称）一样，都是指代宋琬，因为宋玉叔是中央机关派来监督芜湖关的官员。"江边解醉鱼多旨"，说明酒宴主菜为鱼类。我们知道，芜湖滨江临河，地多池塘，水产品丰富，流行食鱼习俗。清中期时黄钺说："夏秋午后，有篮鱼入市者谓之

① 宋琬：《安雅堂诗集》，四部备要本。
② 方文：《嵞山集》，上海古籍出版社 1979 年版。

钓上，此芜湖旧俗也。晚饭得鲜鲫二尾，询及钓上所得，喜其乡风仍在，为赋三绝"。① 总之，此诗可能为宋琬即将离芜，邀请萧尺木、方尔止等人的酒宴。萧云从有感而发，遂于清顺治七年（1650 年）秋天赋成此诗。

原载《图书馆工作》2001 年第 2 期。

---

① 黄铖：《壹斋集》，黄山书社 1999 年版，第 728 页。

附录三

试论唐朝科举制度的演变及其特点

一、唐朝科举制度的演变

陈寅恪先生指出："唐代之史可分前后两期，前期结束南北朝相承之旧局面，后期开启赵宋以降之新局面，关于政治社会经济者如此，关于文化学术者亦莫不如此。"① 我们考察唐代科举制度实行的情况，亦能证明陈寅恪先生这一精辟论断。

（一）从常行六科到进士独尊的演变

唐代科举分常举、制举二类。常举即常贡之科，是常年按制度举行的科目。大致分为六项，即秀才、进士、明经、明算、明法、明书。其他还有"三礼"、"三传"、"三史科"、"开元礼"、"道举"及"童子（十岁以下能通经者）"诸科。制举是一种不定期的考试，由皇帝临时颁布诏令进行，也称为诏举，用意是选拔"非常之才"。"其天子自诏者曰制举，所以待非常之才焉。"②

---

① 陈寅恪：《金明馆丛稿初编》，上海古籍出版社 1980 年版，第 296 页。
② 《新唐书》卷四四《选举志上》。

常行的六科之中，秀才科原来等第最高，主要试方略策五道，为考生所忌惮，因此应试者少。贞观年间规定，凡是被荐举应秀才科考试而不能取中的，要处分其州长，于是地方官也不敢贡举秀才。高宗永徽二年（651年），此科实际上废绝了。但"开元二十四年（736年）以后，复有此举，其时进士渐难，而秀才本科无帖经及杂文之限，反易于进士，主司以其科废久，不欲收奖，应者多落之，三十年无及第者。天宝初礼部侍郎韦陟始奏请有堪此举者，令长官特荐，其常年举送者并停。自是士族所趋向，唯明经、进士而已。"① 明法、明算、明书三科专门性很强，取士有限，而且难以进入政界。因此，常科中最为盛行的是进士、明经两科，特别是进士科，更为热门。

我们知道，明经科和进士科是唐贡举中最主要的科目，又以进士科最为尊贵。其所以如此，在于进士科各方面高出明经科许多。首先，从考试内容看，明经、进士起初都只试策问，高宗永隆二年（681年），考功员外郎刘思立奏请二科并加帖经，进士又加试杂文二篇。② 此后成为定制，终唐未改。据《唐六典》卷四《尚书礼部》，明经、进士都须经过三场考试。第一场试帖经（把经书用纸帖去某些，要求应试者添补出来，类似现在的默写、填空），二者难易差不多。第二场明经口试，每经通问大义十条，通六条以上即算通过；进士试诗、赋各一篇。前者只需记牢背熟，比较容易；后者须自出心裁，相对较难。第三场试策问，明经答时务策三道，"粗有文理"即可；进士试时务策五道，并且及第者的策文须送中书门下政事堂详复。"凡进士先帖经，然后试杂文及策。文取华实兼举，策须义理惬当者为通。"其次，从录取人数看，明经科"初不限员"，以后每年在一百名左右，录取率大约为

---

① 《文献通考》卷二九《选举考二》。
② 杂文泛指诗、赋、箴、铭、颂、表、论、议之类，主要指诗、赋。

应试者的十分之一、二。唐代进士应考者多，而录取者少，进士科每年大体稳定在二十名到四十名之间，唐中期以后，录取额一般在三十人左右，所谓"桂树只生三十枝"，录取率大约为应试者的百分之一、二。第三，从仕途发展看，进士科出身者亦多优于明经科。因为唐代诏书文件沿袭六朝旧习，采用骈俪文体，进士科精工制作的诗赋与骈文性质相近，而粗有文理的明经科则与此相去很远。故进士科出身者因其所长，被授予各种重要职务，如为天子代言的中书舍人、翰林学士等等，这是明经及第者望尘莫及的。明经出身，经吏部试合格，大多为州县基层的地方官员。由于有这些差别，进士科尤为唐人看重，至有"白衣公卿"、"一品白衫"之语。还有"三十老明经，五十少进士"之语，意思是三十岁考中明经已算年老，五十岁进士登科还算年少。

到了唐高宗、武则天统治时期，重用文士，"公卿百辟无不以文章达，"许多名臣大吏皆由进士科起家，进士科的地位开始不断上升。唐高宗时，宰相薛元超对他的亲友讲："吾不才，富贵过分，然平生有三恨，始不以进士擢第，未娶五姓女，不得修国史。"① 认为未能考取进士科乃是人生三大憾事之一。唐玄宗开元年间，士人们争趋进士科，"每岁进士到省者，常不减千余人。"② 进士科在众选科中独尊地位开始形成，干进的人们，已经习惯地把进士科看做鹄的。贞元以后，"台阁清选，莫不由兹。"③ 宰相和朝廷大臣大都来源于进士科，进士科出身者在高级官员构成中占了很大的比例。宋以后各朝相沿唐朝科举制度，主要是因袭了进士科，却从而把进士一科称为"科举制度"，科举制度与进士科的

---

① 刘餗：《隋唐嘉话》卷中，薛元超条。
② 封演：《封氏闻见记校注》卷三《贡举》。
③ 《唐会要》卷七六《进士》。

概念合二而一了，这就失掉了本有许多科目、分科举人的科举原义了。①

（二）从重两监到乡贡大盛的演变

唐代科举取士的来源，一为官办学校选送的生徒，一为各州府考选的乡贡。所谓"由学馆者曰生徒，由州县者曰乡贡，皆升于有司而进退之。"② 说明了生徒和乡贡是唐代科举的两大人才来源。

1. 唐前期生徒是贡举的主体

唐代学校包括国子监所属的六学、二馆以及地方州县学。国子监是唐代国家学校的领导机关，分京师国子监、东都国子监二种，合称两监。二监之下各设国子学、太学、四门学、律学、书学和算学。二馆系指弘文馆、崇文馆，弘文馆归门下省直辖，崇文馆归太子东宫直辖。

根据《新唐书·选举志》的记载，两监中的国子学、太学与弘文、崇文二馆的生徒，均为皇亲国戚和三品、五品的高官子孙，只有四门学才接受"庶人之俊秀者"。可知，官员子弟占据了生徒的大多数。

一般而论，唐前期科举举送以学校为重。换言之，生徒是唐前期贡举的主要来源。一些高官子弟均通过两监而"成名"。《唐摭言》卷一《两监》说："郭代公、崔湜、范履冰辈皆由太学登第"。郭代公即郭元振，他"十六入太学，与薛稷、赵彦昭同业。时有家仆至，寄钱四百千以为学粮。"③ 他于咸亨四年（673年）进士登科，薛稷、赵彦昭也都先后进士及第。我们知道，郭元振

---

① 韩国磐：《隋唐五代史论集》，三联书店1979年版，第296页。
② 《新唐书》卷四四《选举志上》。
③ 张说：《兵部尚书代国公赠少保郭公行状》，载《全唐文》卷二三二。

的父亲郭爱是济州刺史。薛稷的叔父薛元超，高宗朝宰相。赵彦昭的父亲赵武孟，"举进士，官至右台侍御史。"① 高宗朝大官裴行俭，"幼以门荫补弘文生。"② 贞观年间通过明经科考试而入仕。

与学校生徒同在科场中竞争的乡贡，主要指在家自学的地主阶级子弟，他们属于一般士子。当时凡应乡贡的举子，先怀牒自列于其县，经县考试定其可取者，升于州或府。州府总其属之所升，又加以考试，谓之"解试"。乡贡们通过州府"解送"，就取得被解送的资格，方能赴京参加省试。

《资治通鉴》卷一九二武德九年九月："上（唐太宗）于弘文殿聚四部书二十余万卷，置弘文馆于殿侧，精选天下文学之士虞世南、褚亮、姚思廉、欧阳询、蔡允恭、萧德言等，以本官兼学士，令更日宿直，听朝之隙，引入内殿，讲论前言往行，商榷政事，或至夜分乃罢。又取三品以上子孙充弘文馆学生。""永徽以后以文儒亨达，鲜不由两监者，于时场籍先两监而后乡贡。"③ "开元以前，进士不由两监者，深以为耻。"④

据《唐六典》卷二一《国子监》：开元时期国子学学生 300 人，太学学生 500 人，四门学学生 500 人，律学学生 50 人，书学学生 30 人，算学学生 30 人。六学共有学生 1410 人。

天宝十二载（753 年）七月十三日诏，"天下举人，不得充乡赋，皆须补国子学生及郡县学生，然后听举。"⑤

这些材料表明，当时科场中存在着重两监、轻乡贡的取士趋势，具体史实，也说明了这点。

上元元年（674 年），进士及第十一人，"内张守贞一人乡贡"。

---

① 《旧唐书》卷九二《韦安石传附赵彦昭传》。
② 《旧唐书》卷八四《裴行俭传》。
③ 《文献通考》卷二九《选举考二》。
④ 《唐摭言》卷一《两监》。
⑤ 《唐会要》卷七六《缘举杂录》。

永淳二年（683年），进士及第五十五人，只有乡贡一人元求仁。

长安二年（702年），进士及第二十人，乡贡张九龄一人。

开元二十年（732年），进士及第二十四人，仅乡贡一人鲜于向。

天宝六载（747年），进士及第二十三人，内石镇一人，河南府乡贡。①

唐前期，学校生徒占据优势的现象，表明科举制度还存在门第的限制。虽然科举制度是对魏晋南北朝所实行的九品中正制的否定，是对"上品无寒门，下品无世族"的贵族垄断政权的格局之冲击。它用考试方法审查应试举人的知识才能，比较客观全面，不但贵族高官子弟可以入选，一般士子也有上进的机会。同时，科举制允许举子们怀牒自陈，既不需要地方长官的察举，更不需要中央中正官员的评定。

这种制度较诸从前的选举制度，自然是进步的。但是唐前期科举取士重两监、轻乡贡，明显地注重学校、优待生徒（官员子弟），说明这一时期的科举制，还带有九品中正制的"尊世胄、卑寒士"②的痕迹，这大概由于魏晋遗风的影响以及文化尚未普及的缘故。

2. 唐后期乡贡是贡举的主体

安史之乱以后，科场上生徒和乡贡两种力量的对比，发生了根本变化。乡贡对于生徒转为压倒的优势，乡贡包括乡贡明经、乡贡进士等，成为唐后期贡举的主要人才来源。

乡贡大盛，固然由于安史乱起冲击学校有关。"至德后，兵革未息，国子生不能廪食，生徒尽散，堂墉颓废，常借兵健棲止。"③

---

① 参阅清人徐松《登科记考》卷五至卷八，中华书局1984年版。
② 《新唐书》卷一九九《柳冲传》。
③ 《旧唐书》卷二四《礼仪志》。

永泰二年（766 年），始有重新恢复国子学的措施。元和二年（807 年），重定两监生徒的名额："西京：国子馆生八十人，太学七十人，四门三百人，广文六十人，律馆二十人，书、算馆各十人。东都：国子馆生十人，太学十五人，四门五十人，广文十人，律馆十人，书馆三人，算馆二人。"① 唐宪宗时，刘禹锡上书宰相说："贞观时，学舍千二百区，生徒三千余，外夷遣子弟入附者五国。今室庐圮废，生徒衰少，非学官不振，病无赀以给也。"② 所谓"室庐圮废，生徒衰少"，反映出唐后期学校远逊贞观、开元的局面，"生徒衰少，"亦是促进乡贡之风大盛的原因之一。

史家吕思勉先生说："乡贡学校，二者实互为盛衰。新志云：举人旧重两监，后世禄者以京兆、同华为荣而不入学。天宝十二载（753 年），乃敕天下罢乡贡，举人不由国子及郡县学者，勿举送。然及十四载，即复乡贡矣。盖学校有名无实，而不论其为由乡贡，由学校，凡应举者皆意在得官，欲得官必求速化，骛声华，事奔竞之术正多，何必坐学？此则学校之所以日衰，乡贡之所以日盛。至明世，法虽束缚之一出于学，究亦学校其名，乡贡其实也。其机则唐代肇之矣。"③ 吕思勉先生指出唐代学校衰落，乡贡盛行，乃是"凡应举者皆意在得官，欲得官必求速化，骛声华，事奔竞之术正多"的缘故。并且指出，唐代以后"学校其名，乡贡其实，"其源流也是从唐代发端的。可见，唐后期乡贡之风大盛，亦为"开启赵宋以降之新局面"的一种社会因素。

如果说，唐前期的乡贡主要指庶族地主士人，一般都与"朝廷九品无葭莩亲。"④ 那么，唐后期的乡贡流品复杂，既有公卿达

① 《新唐书》卷四四《选举志上》。
② 《新唐书》卷一六八《刘禹锡传》。
③ 吕思勉：《隋唐五代史》，上海古籍出版社 1984 年版，第 1109 页。
④ 《新唐书》卷一一二《员半千传》。

官子弟，又有政治地位较低的寒士。寒主要指寒门，相对势门而言，是指那些非权贵高官子弟和平民子弟。须知唐后期参加科举考试的阶层是非常广泛的，广大寒士已经构成乡贡的主体。

随着科举制度的发展，门第限制逐渐松弛，科举制把仕进大门打开，开放的范围比从前更广大，更自由。史籍记载一些贫穷的士人，为州府所贡，跑到京都长安来，互相结交，切磋学问，有人往往二十五举、三十举方能及第。有的为应考，往往借僧寺道院读书，如王播即是借读于佛寺而以后做到宰相的人物，《旧唐书》卷一六四《王播传》云"播出自单门，以文辞自立，践升华显，郁有能名。"《唐诗纪事》卷四五载："王播少孤贫，尝客扬州惠照寺木兰院，随僧斋飱。僧厌怠，乃斋罢而后击钟。后二纪，播自重位出镇是邦，因访旧游，向之题名皆以碧纱幕其诗。播继以二绝句曰：三十年前此院游，木兰花发院新修。如今再到经行处，树老无花僧白头。上堂已了各西东，惭愧阇梨饭后钟，三十年来尘扑面，而今始得碧纱笼。"饭后钟的故事，至今传为佳话。

我们知道，在唐代实行科举制度以前，工商阶层入仕做官，受到限制。汉朝的商人，就不准做官。北周、隋朝的工匠，也不准做官。《隋书》卷五六《卢恺传》云："染工上士王神欢者，尝以赂自进，冢宰宇文护擢为计部下大夫。恺谏曰：古者登高能赋，可为大夫，求贤审官，理须详慎。今神欢出自染工，更无殊异，徒以家富自通，遂与缙绅并列，实恐惟鹈之刺，闻之外境。护竟寝其事。"《唐六典》记载有限制工商入仕的规定："凡官人身及同居大功已上亲，自执工商，家专其业，皆不得入仕。"[1]"工商之家不得预于士，食禄之人不得夺下人之利。"[2] 但中唐之后科举制度的发展，此种对于工商市井之家的限制，已经放松。当时工商家

---

① 《唐六典》卷二《吏部》。
② 《唐六典》卷三《户部》。

庭出身的士人，考中进士者，不乏其人。如太和元年（827 年）及第的陈会，是成都酒家之子。咸通六年（865 年）登科的常修，是盐商之子。懿宗朝宰相毕诚，也是盐商之子。晚唐时人裴庭裕说："毕诚本贾客之子，连升甲乙科，杜悰为淮南节度使，置幕中，始落盐籍。"①

《唐会要》卷七六《贡举中·进士》载："元和二年（807 年）十二月敕，自今以后州府所送进士，如迹涉疏狂，兼亏礼教；或曾任州府小吏，有一事不合清流者，虽薄有辞艺，并不得申送。如后举事发，长吏奏停现任。如已停替者，殿二年。本试官及司功官，见任及已停替，并量事轻重贬降，仍委御史台常加察访。"傅璇琮先生指出，元和二年（807 年）这条禁止州县小吏出身之人应举的诏令，实际上是官样文章，没有起到什么作用。② 元和二年（807 年）以后，仍然有县吏应举及第的记载，如咸通七年（866 年）登科的汪遵、③ 邵谒④，都是县吏出身。中和二年（822 年）登科的程贺，也是县吏出身。⑤

总之，有唐一代的科举制度，从前期优待生徒、排斥乡贡演变至后期开放范围扩大，这实在与唐代社会的发展变化休戚相关。从经济方面看，唐中叶以后，"田亩移换，非旧额矣，贫富升降，非旧第矣。"⑥ 由于土地买卖和兼并的频繁，土地所有权转换迅速，地产不断地"从一个人手里流到另一个人手里，并且任何规律都不可能把它再保持在少数预定的人们手里。"⑦ 在此过程中，部分

① 裴庭裕：《东观奏记》卷下《毕诚求入相》，中华书局 1994 年版。
② 傅璇琮：《论唐代进士的出身及唐代科举取士中寒士与子弟之争》，《中华文史论丛》，1984 年第 2 辑。
③ 《唐诗纪事》卷五九。
④ 《唐才子传》卷八。
⑤ 《唐诗纪事》卷六七。
⑥ 《旧唐书》卷一一八《杨炎传》。
⑦ 马克思：《经济学—哲学手稿》，人民出版社 1956 年版，第 49 页。

庶族地主崛起，经济力量不断增长，于是成为一种不可忽视的社会势力。从政治方面看，门阀世族独占的局面被打破后，新兴的庶族地主在抬头。为适应地主阶级各阶层力量的消长变化，封建政权作为整个地主阶级利益的调节器作用日益突出。换句话说，封建政权需要集中地主阶级力量，以巩固和扩大封建统治基础。应运而生的科举制肩负着吸收"天下英雄入彀中"（"彀中"指箭能射及的范围，形容牢笼、圈套）的使命，这就促使科举制把仕进大门开放，面向地主阶级各阶层，而不再专重两监的生徒了。

（三）礼部侍郎掌贡举

开元二十四年（736 年），发生了中国科举史有名的"二李纷争"案。当时进士考生李权诋诃考官李昂，言语冲突激烈。李昂时任吏部考功司的考功员外郎，主管贡举。为此，朝廷专门开会讨论此问题，都认为"员外郎位卑不能服众。"① 也就是说，考功员外郎资望浅，镇不住考场。于是在该年三月唐玄宗下诏，决定将科举管理权改由礼部侍郎担任，并在礼部设立专用考场—贡院。

先是，吏部掌管贡举。唐高祖武德四年（621 年）由考功员外郎申世宁主考，"自是考功之试，永为常式。"② 贞观以后，考功员外郎主管贡举，但有时也命他官与考功员外郎同试。如"龙朔中，敕右史董思恭与考功员外郎权原崇同试贡举。"③ 至开元二十四年（736 年），始由吏部转归礼部主管。知贡举官由考功员外郎改为礼部侍郎，即由考功员外郎（从六品上阶）提高到礼部侍郎（正四品下阶），主管贡举官员品阶（级别）的提高，表明科举在铨选中的重要性日益增加。

---

① 《资治通鉴》卷二一四，开元二十四年二月。
② 《唐摭言》卷一五《杂记》。
③ 封演：《封氏闻见记校注》卷三《贡举》。

唐代开元二十四年（736年）以前，吏部肩负选拔人才和铨选官吏的双重职能。开元二十四年（736年）以后，吏部掌铨选，礼部掌科举，选拔人才和任用官吏始有明确分工。所以开元二十四年（736年）的改革，不仅是中国科举史上一件大事，也是我国选举制度史上一个新开端。杜佑《通典》卷一五说："（开元）二十四年制，移贡举于礼部，以侍郎掌之。（因考功员外郎李昂诋诃进士李权文章，大为权所陵讦，朝议以郎官地轻，故移于礼部，遂为永制。）"《通典》所谓"遂为永制，"相当简洁中肯。因为从那以后1000多年相沿不改，直至科举制的废止，礼部主管科举，都是一成不变的"永制"。① 可以说，此项制度亦为"开启赵宋以降之新局面"。

二、唐朝科举制度的特点

唐代科举，在中国科举史上，属初创阶段，在它身上保留着旧制度的痕迹，存有汉代察举遗风，这是可以理解的。我们又将唐代科举制与宋代科举制加以比较，还可看到，唐代的科举条制也是很不完备的，"其防弊之法，尚未甚周，故一切弊窦，随之而起。"②

（一）唐代科举制因袭旧制的痕迹

元人盛如梓说："前辈谓科举之法，虽备于唐，然此时尚考真卷。有才学者，士大夫犹得以姓名荐之有司，有司犹得以公论取之，如吴武陵以阿房宫赋荐杜牧，必欲置首选是也。宋自淳化中，立糊名之法。祥符中，立誊录之制。进士得失，始一切付诸幸不

---

① 刘海峰，等：《中国科举史》，上海东方出版中心2004年版，第90页。
② 吕思勉：《隋唐五代史》，上海古籍出版社1984年版，第1127页。

幸，虽欧公欲黜刘几，坡公欲取李廌，不可得矣。"①

元人刘将孙说："以科举取士，入唐最盛。然唐进士良不易，科场或开或不开，每不过数十，甚或不满十。贡士投卷温卷，望公卿一言为知己遇合论荐，以至伏光范不惮。其间名讳转触，展转拘忌，不可胜道。非如后来糊名较艺，三岁两科动千计，士俯起草野，倘其有命，弱冠徒步，无不骤致青云之上。即不幸潦倒第名，荐书犹得赐袍笏。故其弊滥吹假手，侥幸冒窃，泯泯不足称数复在此。虽欲不废，亦不可复继也。后有作者，宜一反于此矣。其必以三代乡举里选为经，以唐法赘荐试考为纬，庶几文字之外，以耳目得人物。"②

所谓"士大夫犹得以姓名荐之有司，"所谓"唐法赘荐试考"，揭示出唐代科举制因袭旧制的痕迹，留有一些荐举制的残余。因为"察举"、"征辟"或"九品中正"都是以"乡举里选"的办法来甄别人才，带有一种推荐的性质。证诸史实，可以明瞭。

"贞元末，太府卿韦渠牟、金吾李齐运、度支裴延龄、京兆尹嗣道王实，皆承恩宠事，荐人多得名位。时刘师老、穆寂皆应科目，渠牟主持穆寂，齐运主持师老。会齐运朝对，上嗟其羸弱，许其致政，而师老失授。故无名子曰：太府朝天升穆老，尚书倒地落刘师。"③按穆寂于贞元九年（793 年）进士登科，显然由于"承恩宠事"的韦渠牟的关照，史言韦渠牟是唐德宗的宠臣，"所荐引咸不次迁擢。"④

著名诗人李商隐登科，也离不开高官令狐楚的"奖饰"。李商隐《上令狐相公状五》说："今月二十四日礼部发榜，某微幸成

---

① 盛如梓：《庶斋老学丛谈》卷下，文渊阁四库全书本。
② 刘将孙：《养吾斋集》卷一三《送吴文彬序》，文渊阁四库全书本。
③ 《太平广记》卷一八八《韦渠牟》。
④ 《资治通鉴》卷二三五，贞元十二年十一月条。

名，不任感庆。某材非秀异，文谢清华，幸忝科名，皆由奖饰。
昔马融立学，不闻荐彼门人；孔光当权，讵肯言其弟子。岂若四
丈，屈于公道，申以私恩，培树孤株，骞腾短羽，自卵而翼，皆
出于生成；碎首糜躯，莫知其报效。瞻望旌棨，无任戴恩陨涕之
至。"① 字里行间，透露出李商隐对于令狐楚的感恩之情。闽人朱
庆余应举，因为行卷受到水部郎中张籍的赏识。张籍"遍索庆余
新制篇什数通，吟改后，只留二十六章。水部置于怀抱，而推赞
欤。清列以张公重名，无不缮录而讽咏之，遂登科第。"② 时为宝
历二年（826 年）。韩愈以文名自负，遇举子之有才者辄为延誉，
并推荐于知贡举官。"成就后进士，往往知名，经愈指授，皆称韩
门弟子。"③ 贞元十八年（802 年），中书舍人权德舆知贡举，祠部
员外郎陆傪帮助他物色贡士，时为四门博士的韩愈向陆傪推荐了
十人，其中尉迟汾、侯云长、沈杞、李翱四人于当年及第，侯喜、
刘述古、李绅、张后余、张苰五人，皆于此后五年内相继登科。
韩愈《与祠部陆员外书》，谈到陆傪与主考官权德舆之间的关系
是，"彼之职在乎得人，执事之志在乎进贤，如得其人而授之，所
谓两得其求，顺乎其必从也。"可见，对于这样的推荐，大家都不
讳言。还有张籍就是韩愈在徐州推荐的举子。前面提到"吴武陵
以阿房宫赋荐杜牧，必欲置首选是也。"说的是太和二年（828
年），太学博士吴武陵看到杜牧的《阿房宫赋》，认为"其人真王
佐才也，"于是把杜牧推荐给主考官崔郾，并请求给予状头（即状
元）。由于状头已有人，不得已，即第五人。崔郾当即向席上诸公
宣布："适吴太学以第五人见惠。"④

---

① 《全唐文》卷七七四，中华书局 1983 年版。
② 范摅：《云溪友议》卷下《闺妇歌》。
③ 《新唐书》卷一七六《韩愈传》。
④ 吴宗国：《唐代科举制度研究》，辽宁大学出版社 1997 年版，第 225—226 页。

　　唐代科场中这种"名卿是挈，先进咸推"① 的现象，是大量存在的。也就是说，公卿达官、社会名流有着公荐举人的特权，知贡举官往往征求他们的意见。因此，科举及第与否，并不完全"一切以程文为去留，"即取决于礼部考试的卷面成绩。唐德宗时，"许公孟容为给事中，权文公为礼部侍郎，时称'权许'，进士中否，二公未尝不相闻于其间者。"② 时人魏邈"以乡举射策上省者五六，以贿援兼无，竟不登第。"③ 显然，缺乏公卿先达的赏识推荐，举人们是很难致身"千佛名经"④ 的。

　　其所以如此，一方面由于唐代科举制渊源于察举征辟制、九品中正制而来，"盖昔之取士，虽程其一日之文，亦参之以平生之行，而乡评士论，一皆达于朝廷。"⑤ 另一方面则由唐科举制条制不完备有关。

（二）唐科举制条制不备的特点

　　关于唐代科举制条制不备的情况，是比较宋代科举制而言。可分两种情况：一为不具备，如糊名法未施行于礼部考试。一为不严密，如别头试、呈榜等，时废时行，没有定制。均反映出唐代科场尚无完备严密的规章制度。

　　宋人贾昌朝说："自唐以来，礼部采名誉，观素学，故预投公卷。今有弥封誊录法，则公卷可罢。"⑥

　　宋人欧阳修说："窃以国家取士之制，比于前世，最号至公。

---

　　① 《柳河东集》卷一一《虞鸣鹤诔》，上海人民出版社 1974 年版，第 177 页。
　　② 杜牧：《樊川文集》卷一四《唐故尚书吏部侍郎赠吏部尚书沈公行状》。
　　③ 徐松：《登科记考》卷一二，贞元五年。
　　④ 封演：《封氏闻见记校注》卷三《贡举》。进士张繟，汉阳王柬之曾孙也。时初落第，两手奉登科记顶戴之曰：此千佛名经也，其企羡如此。
　　⑤ 顾炎武：《日知录》卷一七《糊名》。
　　⑥ 柯维骐：《宋史新编》卷三四《选举志》。

盖累圣留心，讲求曲尽，以谓王者无外，天下一家。故不问东西南北之人，尽聚诸路贡士混合为一，而惟才是择。又糊名誊录而考之，使主司莫知为何方之人，谁氏之子，不得有所憎爱厚薄于其间。故议者谓国家科场之制，虽未复古法而便于今世。其无情如造化，至公如权衡，祖宗以来不可易之制也。"①

南宋陆游《老学庵笔记》卷五说："本朝进士，初亦如唐制兼采时望。真庙时，周安惠公起，始建糊名法，一切以程文为去留。"

南宋洪迈《容斋随笔·四笔》卷五："唐世科举之柄，专付之主司，仍不糊名，又有交朋之厚者为之助，谓之通榜。"

元人马端临说："按唐科目考校无糊名之法，故主司得以采取誉望。"②

宋元人的议论均指出，唐朝礼部考试没有实行糊名法，又允许行卷、通榜之法，所以"主司得以采时望，"取舍之权颇大。

所谓"行卷"，是唐代举子把平日所作诗赋文章，到京都后，送于政治上、文坛上有地位的官僚阅看，他们看了考生平日作品，先为之揄扬品第，造成舆论，作为主考官录取的参考。上引朱庆余因行卷受到张籍的赏识，杜牧因《阿房宫赋》为太学博士吴武陵所力荐。白居易的"离离原上草，一岁一枯荣；野火烧不尽，春风吹又生"诗句便是他向前辈官员顾况的行卷作品。

所谓"通榜"，即据社会与政府先达的舆论，来拔举知名之士，并不专凭考试的卷面成绩。有些主考官为表示谦逊，自己不定榜，而请人代定榜次的。甚至有请及应考生代定，而应考生自定为榜首状元的。上引贞元十八年（802年），韩愈向陆傪推荐考生，陆傪即此年为主司通榜之人。还有贞元八年（792年）陆贽

① 《文献通考》卷三一《选举四》。
② 《文献通考》卷二九《选举二》。

知贡举，以崔元翰、梁肃文艺冠时，凡梁肃、崔元翰所推荐之人，皆录取。梁肃、崔元翰即是通榜之人。清人王渔洋说："唐时知贡举皆预定。亲知权要皆得荐其私人，乃至榜帖，亦属他人为之。如《摭言》所载郑颢托崔雍为榜，延至榜除日，待榜不至，但遣小僮寿儿者传云：'来早陈贺'。日暮，寿儿寄宿院中，夜已艾，寿儿以蜡丸进颢，即榜也。主司在院，而榜自外来，且使命出入，更无关防，已可笑。尤可异者，杜黄门第一榜第三场，庭参之际，谓诸生曰：'未有榜帖，'尹枢年七十余，独趋进，公欣然延之，从容授以纸笔。枢每札一人，则抗声斥其姓名，列庭闻之，皆咨叹，嗟其公道，唯空其元。公览读，致谢讫，乃以状元为请，枢曰：'状元非老夫不可。'公大奇之，即命笔亲自札之，状头出于举子自定，殆近儿戏矣。又郑损舍人为主司，以陆扆为状元，帖皆请扆自定。"① 我们知道，清代科举制度发展已是相当完备、成熟的制度，故王渔洋对于唐代科场通榜现象，作出"可笑"、"儿戏"的评价，这是可以理解的。但此等事在唐代反成佳话，不算舞弊。

"东坡素知李廌方叔，方叔赴省试，东坡知举，得一卷子，大喜，手批数十字，且语黄鲁直曰：是必吾李廌也。及拆号，则章持致平，而廌乃见黜。故东坡、山谷皆有诗在集中。初，廌试罢归，语人曰：苏公知举，吾之文必不在三名后。及被黜，廌有乳母，年七十，大哭曰：吾儿遇苏内翰知举不及第，它日尚奚望？遂闭门睡，至夕不出。发壁视之，自缢死矣。廌果终身不第以死，亦可哀也。"②

"李固言生于凤翔庄墅，雅性质厚，未习参谒。始应进士举，舍于亲表柳氏京第。诸柳昆仲率多谑戏，以固言不闲人事，俾信

---

① 王士禛：《香祖笔记》卷三，上海古籍出版社1982年版。
② 陆游：《老学庵笔记》，中华书局1979年版，第125页。

趋揖之仪，候其磬折，密于头巾上帖文字云：此处有屋僦赁。固言不觉，及出，朝士见而笑之。许孟容为右常侍，于时朝中薄此官，号曰貂脚，颇不能为后进延誉。固言始以所业求见，谋于诸柳，诸柳与导行卷去处，先令投许常侍。固言果诣之，孟容谢曰：'某官绪闲冷，不足发君子声彩，虽然，亦藏之于心'。又睹头巾上文字，知其朴质。无何，来年许知礼闱，乃以固言为状头。"①

"唐崔蠡知制诰日，丁太夫人忧。居东都里第，时尚清苦俭啬，四方寄遗茶药而已，不纳金帛，故朝贤家不异寒素，虽名姬爱子，服无轻细。崔公卜兆有期，居一日，宗门士人有谒请于蠡者，阍吏拒之。告曰：公居丧，未尝见他客。乃曰：某崔家宗门子弟，又知尊夫人有卜远之日，愿一见公。公闻之，延入与语。直云：知公居缙绅间，清且约，太夫人丧事所须，不能无费。某以辱孙侄之行，又且费用稍给，愿以钱三百万济公大事。蠡见其慷慨，深奇之，但嘉纳其意，终却而不受。此人调举久不第，亦颇有屈声。蠡未几服阕，拜尚书右丞、知礼部贡举。此人就试，蠡第之为状元。众颇惊异，谓蠡之主文，以公道取士，崔之献艺，由善价成名。一第则可矣，首冠未为得。以是人有诮于蠡者，答曰：崔某固是及第人，但状头是某私恩所致耳。具以前事告之，于是中外始服，名益重焉。"②

"梁相张策尝为僧，返俗应举，亚台（主司赵崇）鄙之。或曰：刘轲、蔡京，得非僧乎？亚台曰：刘、蔡辈虽作僧，未为人知，翻然贡艺，有何不可？张策衣冠子弟，无故出家，不能参禅访道，抗迹尘外。乃于御帘前进诗，希望恩泽，如此行止，岂掩人口。某十度知举，十度斥之。清河公乃东依梁主而求际会，盖为天水拒弃，竟为梁相也。"①

上引四段史料，头一条是北宋时事，后三条是唐朝时事。北宋科场条制严密完备，实行"弥封"制。宋代弥封是去掉考生姓名，编列字号，使主考官仅凭号码以定等第和取舍。唐代"糊名法"仅实行吏部释褐试及制举考试，并且糊名法较简单，仅用纸条糊住考生姓名，不让阅卷人得知。所以宋代"弥封"比唐代"糊名"进步许多。宋代主考官虽知有亲朋故旧应考，以不知其姓名，亦只有凭文录取。这是苏东坡的门生李方叔被黜的原因。但在未具备糊名法的唐朝，主司可以凭"私恩"决定某某为状元，如许孟容对待李固言、崔蠡对待宗人崔某那样；主司亦可以凭好恶废弃某某举子，如同赵崇对待张策那样。唐代主考官权力之大，显然与唐科举制条制不完备有关。

唐开元二十四年（736年）以后，科举主考官改为礼部侍郎专任，故对于"礼部侍郎亲故，移试考功，谓之'别头'。"② 此即别头试的缘起，这是主考官与考生是亲属而应避嫌的考试。但唐代的别头试，实行范围只在省试，而且时兴时废，未曾成为制度。贞元十六年（800年），中书舍人高郢奏罢，议者是之。元和十三年（818年），权知礼部侍郎庾承宣奏："臣有亲属应明经、进士举者，请准旧例，送考功试之。"③ 又奏复考功别头试。太和三年（829年），高锴为吏部考功员外郎，取士有不当，监察御史姚中立又奏停考功"别头试"。但太和六年（832年），礼部侍郎贾 餗知贡举，又奏复之。

唐宣宗大中九年（855年），中书舍人沈询知贡举，"主春闱，将欲发榜，其母郡君夫人曰：吾见近日崔、李侍郎，皆与宗盟及

① 孙光宪：《北梦琐言》卷三，上海古籍出版社1981年版，第20页。
② 《新唐书》卷四四《选举志》。
③ 《册府元龟》卷六四〇《贡举部·条制二》。

第，似无一家之谤。汝叨此事，家门之庆也，于诸叶中拟放谁也？询曰：莫先沈光也。太夫人曰：沈光早有声价，沈擢次之。二子科名不必在汝，自有他人与之。吾以沈儋孤单，鲜其知者，汝其不愍，孰能见哀！询不敢违慈母之命，遂放儋第也。"① 沈母说近日崔、李侍郎，皆与宗盟及第。按大中七年（853 年）崔瑶知贡举，其年，主司的宗人崔隐梦进士登科，可证沈母此言不虚。沈询又放其宗人沈儋及第。显然，唐代主司与其亲属在科场上不回避的例子，是比较多的。据此可知，唐代之别头试，实际上起的作用是微乎其微的。

"唐以来或以礼部所取未当，命中书门下详复。"② 中书门下详复制也叫呈榜，该制开创于开元二十五年正月，当时规定："应试进士等，唱第讫，具所试杂文及策，送中书门下详复。"③ 其后中废。穆宗长庆元年（821 年），发生钱徽科场案，三月恢复详复制。长庆三年（823 年），礼部侍郎王起"言故事，礼部已放榜，而中书门下始详复，今请先详复而后放榜。"④ 王起建议将及第进士的杂文先过详复关，然后依据详复（即上面的批示）放榜。但是到了太和八年（834 年），中书门下奏："进士发榜，旧例，礼部侍郎皆将及第人名先呈宰相，然后发榜。伏以委任有司，固当精慎，宰相先知取舍，事匪至公。今年以后，请便令发榜，不用先呈人名。其及第人所试杂文及乡贯三代名讳，并当日送中书门下，便合定例。敕旨依奏。"⑤ 在《文献通考》记载以上史实则说："文宗太和八年（834 年），宰相王涯以为礼部取士，乃以榜示中书，非

---

① 范摅：《云溪友议》卷下《沈母议》。
② 《文献通考》卷三二《选举五》。
③ 《册府元龟》卷六三九《贡举部·条制一》。
④ 《文献通考》卷二九《选举二》。
⑤ 《唐会要》卷七六《贡举中·进士》。

至公之道。自今一委有司，以所试杂文乡贯三代名讳送中书门下。"

从上可知，太和八年（834 年）"一委有司，"不必再呈榜于中书门下政事堂的宰相了。

唐代科场并无严密的规章制度，考场内可以说相当自由，有些情况是明清时代所不能想象的。① 如试铺之间不禁往来。郑"光业尝言及第之岁，策试夜，有一同人突入试铺，为吴语谓光业曰：'必先必先，可以兼容否？'光业为掇半铺之地。其人复曰：必先必先，谇仗取一杓水。光业为取，其人再曰：便干托煎一椀茶得否？光业欣然与之烹煎。"② 又，"大中三年（849 年），李褒侍郎知举，试《尧仁如天赋》。宿州李使君弟溁不识题，讯同铺，或曰：止于尧之如天耳。溁不悟，乃为句曰：云攒八彩之眉，电闪重瞳之目。赋成将写，以字数不足，忧甚，同辈给之曰：但一联下添一'者也'当足矣。褒览之大笑。"③ 所以冒名顶替为人捉刀的现象，层出不穷。"俗间相传云，入试非正身，十有三四；赴官非正身，十有二三。"④ 据说温庭筠经常在考场充当"枪手"，"温庭云字飞卿，或云作'筠'字，旧名岐，与李商隐齐名，时号曰'温李'。才思艳丽，工于小赋，每入试，押官韵作赋，凡八叉手而八韵成。多为邻铺假手，号曰'救数人也'。……庭云又每岁举场多借举人为其假手。沈询侍郎知举，别施铺席授庭云，不与诸公邻比。翌日，廉前谓庭云曰：'向来策名者，皆是文赋托于学士，某今岁场中并无假托学士，勉旃！'因遣之，由是不得意也。"⑤

① 傅璇琮：《唐代科举与文学》，陕西人民出版社 1986 年版，第 104 页。
② 《唐摭言》卷一二《轻佻》。
③ 《唐语林》卷七《补遗》。
④ 《通典》卷一七《选举典五·赵匡举选议》。
⑤ 《北梦琐言》卷四《温李齐名》，上海古籍出版社 1981 年版，第 29—30 页。

　　我们还看到，唐代科场还有"继烛"之规定。当时省试以一日为限，晚上如果仍未缴卷，允许燃烛三条，三支烛尽，便要收卷。相传权德舆主试时曾对考生开玩笑说："三条烛尽，烧残举子之心。"而当时举子也回答道："八韵赋成，惊破侍郎之胆。"对答相当工整而有趣，成为唐代科场的逸话。

　　科举制度发展到北宋时代，法令始密，条制始备。"乾德五年（967年），李昉知贡举，下第人徐士廉打鼓论榜，帝御讲武殿，给纸笔别试诗赋，自是殿试遂为永制。且糊名之制，行于淳化，而诸州之糊名，则自明道始。易书（誊录）之制，立于祥符，而诸州之易书，则自景祐始。传义有禁，昉于雍熙；匿服有禁，昉于天禧。庆历则有冒贡之禁，祥符则有挟书之禁。封印卷首，因温仲舒之言而行；严禁秉烛，因戚纶之言而行。旧未有避亲移试者也，而祥符张士逊请行之；旧未有随侍就试者也，而景祐贾昌朝请行之。廷试取士，或取之多，或取之少，而与廷试者不黜，则始自嘉祥之二年。举士岁数，或一岁一举，或间岁一举，或四年一举，或累年不举，而三岁一举，则始自治平之四年。自梁灏等唱名，于是有唱名及第之典；自王世则等锡宴，于是有锡宴琼林之礼。礼之如此其重，是以名公巨卿，悉由此选。"[①]

　　科举制度，肇始于隋代，发展奠基于唐代，成熟于宋代。北宋时期，由于时代的需要，科举制终于形成了一套严密完备的考试程序，比较唐代科举不弥封，不誊录，盛行行卷之风，盛行通榜和公荐等等，可看出唐代"科场之例亦太弛纵矣。"[②]

---

　　① 金兆丰：《中国通史》卷七《选举编》第五章《唐宋元明清科目之繁变》，中华书局1937年版。

　　② 赵翼：《廿二史札记校证》卷二五《宋科场处分之轻》，中华书局1984年版，第543页。

三、 唐朝科举制更新门第观的作用

尽管唐代科举制度的条制不完备，制度不健全，但它在当时的出现，适应着世族、庶族地主力量的消长，适应着封建政权加强皇权、扩大统治基础的需要。科举制允许举子"怀牒自列"，即是允许个人申报科举考试。科举制采取考试方法在地主阶级各阶层中选拔官吏，这种不问家世、考试取士的方法，这种让各地域、各阶层士人都站在同一起跑线上公平竞争的方法。较诸九品中正制下的"上品无寒门，下品无势族"，较诸州郡辟举制下的主簿、功曹等官必为地方高门，当然是进步的制度。

我们看到，南北朝以来的旧世族，在科举制度面前，丧失了他们"坐致公卿"的优越条件。一批张九龄、张说、王播、毕诚之类寒士，通过科举途径致身通显，得以与过去的高门著姓分庭抗礼。这种政治上的重大变革，自然引起门第观念的变化。

众所周知，两晋南北朝末期，世族阶层已经日趋腐朽，到了隋朝，他们在政治上的命根子——九品中正制也被废除，而代之以科举制度。隋末农民战争中，史称起义军"得隋官及山东士子皆杀之，"对于周隋以来日见衰落的山东门阀势力又是一次沉重的打击，唐初，世族阶层已是"世代衰微，全无冠盖，"[①] "名虽著于州闾，身未免于贫贱"[②] 的状况。无论在经济方面还是在政治权益分配，唐代封建政权依据的是现任官的品级，奉行"崇重今朝冠冕"的原则。这样，正如有学者指出，"唐代士族根本没有特权，除了血统以外，和庶族地主并无区别。"[③] 但是，百足之虫，死而

---

① 《旧唐书》卷六五《高士廉传》。
② 《唐大诏令集》卷一一〇《诫励氏族婚姻诏》。
③ 乌廷玉：《唐代士族地主和庶族地主的历史地位》，《中国史研究》1980 年第 1 期。

不僵。由于社会意识具有相对独立性，"名虽著于州闾，"说明士族阶层仍享有崇高的社会地位，在社会影响方面还有强大的地盘，就是说在社会声望、文化领域方面，士族阶层仍有其优势。唐太宗在谈及衰败的山东士族时说"我于崔、卢、李、郑无嫌，顾其世衰，不复冠冕，犹恃旧地以取赀，不肖子偃然自高，贩鬻松槚，不解人间何为贵之？"[①] 也是反映了这种情况。

事实上，唐初士大夫品量门第，仍然尊崇崔、卢、李、郑等山东大姓，看不起当朝新贵。贞观十二年（638 年）修成的《氏族志》，虽然采纳了唐太宗压制山东士族的意见，专以今朝品秩为高下，博陵大姓崔民干仍居第三等，还是处于皇族、外戚之下，百族之上。房玄龄、李勣、魏征等开国元勋也纷纷与山东旧族联姻，争相攀附。一些三品大官，"欲共衰代旧门为亲，纵多输钱帛，犹被偃仰。"[②] 高宗显庆年间，宰相李义府想与关东魏齐地区的世家大族联姻，但魏齐地区的世家大族认为李义府门第低，不肯和他结亲。《旧唐书》卷八二《李义府传》说："关东魏齐旧姓，虽皆沦替，犹相矜尚，自为婚姻。义府为子求婚不得，乃奏陇西李等七家，不得相与为婚。"一个小小的南宫县丞崔敬的女儿，竟不肯嫁给冀州长史吉哲之子吉顼，"因有故，胁以求亲，敬惧而许之，择日下函。"花车到门，女儿坚卧不起，崔敬妻抱女痛哭说："我家门户底不曾有吉郎，"[③] 认为门第悬殊，无法屈就。可见，长期形成的大姓门第观念，还牢固地存在于人们的思想意识中。当时人们的门第标准，并不是现任官品级别的高低，而是"唯矜远叶衣冠"[④] 的尚姓血统论。

---

①《新唐书》卷九五《高俭传》。

②《旧唐书》卷六五《高士廉传》。

③《太平广记》卷二七一《崔敬女》。

④ 吴兢：《贞观政要》卷七《礼乐》，上海古籍出版社 1978 年版，第 226 页。

随着科举制度的发展，进士科的尊贵地位的形成，发生了门第观念由尚姓向尚官的转化，在促进门第观念变化的过程中，科举制度起了十分重要的作用。

首先，唐朝科举制度原则上取消了出身门第的界限，改变了魏晋南北朝以门第取士，单寒之家，屏弃不齿的做法。"唐宋重进士科，士即投牒就试，无流品之分。"① 士族后裔们知道旧门第虽受尊崇，但在入仕途径上却无一点实惠作用，这也促使他们追求登龙门和金榜题名。如出身博陵崔氏大房的崔玄暐，"少有学行，深为叔父秘书监行功所器重。龙朔中，举明经，累补库部员外郎。"② 卢从愿"相州临漳人，后魏度支尚书昶六代孙也。自范阳徙家焉，世为山东著姓。弱冠明经举，授绛州夏县尉。又应制举，拜右拾遗。"赵郡李氏的李栖筠"天宝末以仕进无他伎，"就来参与进士科考试了。范阳卢氏的卢纶"天宝末举进士，遇乱不第，奉亲避地于鄱阳。"③ 但范阳卢氏在唐后期贞元元年（785 年）至乾符二年（875 年），九十二年间登进士一百十六人。④ "崔群字敦诗，清河武城人，山东著姓。十九登进士第，又制策登科，授秘书省校书郎。"⑤ 这些记载，使我们看到士族子弟争趋科场的情况。

其次，进士科尊贵地位之形成以及崇尚诗赋文章的风气，对于抵消士族门第声望作用颇著。进士科自高宗、武后以来，地位上升，正如陈寅恪先生指出："进士之科虽设于隋代，而其特见尊重，以为全国人民出仕之唯一正途，实始于唐高宗之代，即武曌专政之时。及至玄宗，其局势遂成凝定，迄于后代，因而不改。"

① 钱大昕：《十驾斋养新录》卷一二《郡望》，上海书店 1983 年版。
② 《旧唐书》卷九一《崔玄暐传》。
③ 《旧唐书》卷一六三《卢简辞传》。
④ 韩国磐：《隋唐五代史论集》，三联书店 1979 年版，第 23 页。
⑤ 《旧唐书》卷一五九《崔群传》。

"进士科主文词，高宗、武后以后之新学也。"① 前面已说永隆二年
（680 年），考功员外郎刘思立建议进士科考试，加试杂文。此项措
施促进崇尚诗赋文章的社会风气兴起。唐人杜佑在《通典》卷一
五《选举三·历代制下》中说："永隆中，始以文章选士。及永淳
之后，太后君临天下二十余年。当时公卿百辟，无不以文章达。
因循日久，浸以成风。以至于开元天宝之中，上承高祖太宗之遗
烈，下继四圣治平之化，贤人在朝，良将在边，家给户足，人无
苦窳，四夷来同，海内晏然。虽有宏猷上略无所措，奇谋雄武无
所奋。百余年间，生育长养，不知金鼓之声，烽燧之光，以至于
老。故太平君子，唯门调户选，征文射策，以取禄位。此行己立
身之美者也。父教其子，兄教其弟，无所易业，大者登台阁，小
者仕郡县，资身奉家，各得其足，五尺童子，耻不言文墨焉。是
以进士为士林华选，四方观听，希其风采，每岁得第之人，不浃
辰而周闻天下。"

我们知道，进士科考试内容以诗赋文章为主，"主司褒贬，实
在诗赋，务求巧丽，以此为贤。"② 下举几例可以证明。

孙逖"年数岁，即好属文。十五时，相国齐公崔日用试《土
火炉赋》，公雅思遒丽，援翰立成，齐公骇之，约以忘年之契。尔
后遂有大名，故其试言也。年未弱冠而三擅甲科，吏部侍郎王邱
试《竹帘赋》，降阶约拜，以殊礼待之。相国燕公张说览其策而
心醉。"③

大文人王维年青时应进士举，为取得京兆府解元，听从岐王
的吩咐，装扮成伶人请谒公主。王维善弹琵琶，"独奉新曲，声调

---

① 陈寅恪：《唐代政治史述论稿》，上海古籍出版社 1982 年版，第 22 页、第
83 页。
② 《通典》卷一七《赵匡·举选议》。
③ 颜真卿：《尚书刑部侍郎赠尚书右仆射孙逖文公集序》，载《全唐文》卷三三七。

哀切，满坐动容。公主自询曰：此曲何名？维起曰：号郁轮袍。
公主大奇之。岐王因曰：此生非止音律，至于词学，无出其右。
公主尤异之，则曰：子有所为文乎？维则出献怀中诗卷呈公主。
公主既读，惊骇曰：此皆儿所诵习，常谓古人佳作，乃子之为乎？
因令更衣，升之客右。维风流蕴藉，语言谐戏，大为诸贵之钦瞩。
岐王因曰：若令京兆府今年得此生为解头，诚为国华矣。公主乃
曰：何不遣其应举。岐王曰：此生不得首荐，义不就试。然已承
贵主论托张九皋矣。公主笑曰：何预儿事，本为他人所托。顾谓
维曰：子诚取，当为子力致焉。维起谦谢，公主则召试官至第，
遣宫婢传教，维遂作解头，而一举登第矣。"①

《旧唐书》卷一一一《高适传》："高适者，渤海蓨人也。父从
文，位终韶州长史。适少濩落，不事生业。家贫，客于梁、宋，
以求丐取给。天宝中，海内事干进者注意文词。适年过五十，始
留意诗什，数年之间，体格渐变，以气质自高。每吟一篇，已为
好事者称颂。宋州刺史张九皋深奇之，荐举有道科。"

《旧唐书》卷一八五下《良吏传》："吕諲，蒲州河东人。志行
修整，勤于学业。少孤贫，不能自振，里人程楚宾家富于财，諲
娶其女，楚宾及子震皆重其才，厚与资给，遂游京师。天宝初，
进士及第，调授宁陵尉。"

以上几例，揭示出开元、天宝时代，社会上层的王公达官，
乃至下层民间的一般富豪，都很看重进士，崇尚诗赋，这种风气
已经弥漫在唐代社会各处角落。唐后期也是如此，如常衮家世不
显，由进士出身，"文章俊拔，当时推重。与杨炎同为舍人，时称
为常、杨。"② 杨炎亦善文章，"与常衮并掌纶诰，衮长于除书，炎

① 《太平广记》卷一七九《王维》。
② 《旧唐书》卷一一九《常衮传》。

善为德音，自开元以来，言诏制之美者，时称常、杨焉。"① 唐宋故八大家中韩愈、柳宗元都是进士出身。可见"进士策名，向来所重；由此从官，第一出身。"② 既然进士科如此为世人看重，诗赋文章如此受到世人的注目，而且进士登第，尤为光荣，演出许多风尚。这对于抵消旧士族的门第声望作用颇著。

第三，进士科成为高级官员的主要来源，影响了婚姻择偶标准。反映在婚姻习俗方面，亦有一些变化。中宗神龙时，新科进士及第后，皇帝赐宴于长安东南角的曲江，谓之"曲江宴。""既撤馔则移乐泛舟，都为恒例。宴前数日，行市骈阗于江颜。其日，公卿家倾城纵观于此，有若东榻之选者十八九。钿车珠幕，栉比而至。"③ 代宗时，常衮当权为相，尤其排斥非词科登第人士，陈京"善文辞，常衮称之，妻以兄子。擢进士第，迁累太常博士。"④ 常衮在用人方面，使人联想开元时期的张说、张九龄的做法。德宗时，镇海军节度使韩滉挑选的东床女婿杨主簿，就是进士出身的杨于陵。韩滉"谓其妻柳氏曰：夫人常择佳婿，吾阅人多矣，无如杨主簿者。后竟以女妻之。"⑤ 元和年间，"先是尚主皆取贵戚及勋臣之家，上始命宰相选公卿、大夫子弟文雅可居清贯者。"⑥ 结果杜佑之孙杜悰成为宪宗的驸马，唐宪宗似乎不太满意，"犹谓不如德舆之得郁也。"⑦ 可能是权德舆的女婿独孤郁，是进士出身。杜悰凭借门荫入仕，唐宪宗认为不由科第出身吧。开成年间，唐文宗从"世家子"挑选女婿，杜中立尚真源长公主，卫洙尚临真

---

① 《旧唐书》卷一一八《杨炎传》。
② 《唐大诏令集》卷一〇六《厘革新及第进士宴会敕》。
③ 《太平广记》卷一七八《谦集》。
④ 《新唐书》卷二〇〇《儒学传》。
⑤ 《旧唐书》卷一六四《杨于陵传》。
⑥ 《资治通鉴》卷二三九，元和九年六月。
⑦ 《新唐书》卷一六二《独孤郁传》。

公主。杜中立父杜兼，进士出身，官至河南尹。卫洙父卫次公，进士出身，历官翰林学士、淮南节度使。卫洙也是"举进士。""文宗曰：洙起名家，以文进，宜谏官宠之。乃为左拾遗，历义成节度使。咸通中卒。"① 大中年间，"时宣宗诏宰相于进士中选子弟尚主，或以（王）徽籍上闻。徽性冲澹，远势利，闻之忧形于色。徽登第时，年踰四十，见宰相刘瑑哀祈，具陈年已高矣，居常多病，不足以尘污禁裔。瑑于上前言之方免。"② 我们知道，王徽家族自武后朝进士王易从以来，至大中朝进士登科十八人，登台省，历牧守、宾佐者三十余人。"时号凤阁王家。"反映出"华族科名"是皇室选择女婿的对象。唐宣宗重视科名，他的两位东床，均是及第进士。一为郑灏，"相门子（郑灏之祖郑絪，宪宗朝宰相。）首科及第，声名籍甚。"③ 尚宣宗女万寿公主。一为于琮，也是进士出身，"尚广德公主，亦上次女也。"④ 咸通十年（869 年）正月，进士出身的韦保衡尚唐懿宗女同昌公主。"公主，郭淑妃之女，上特爱之，倾宫中珍玩以为资送，赐第于广化里，窗户皆饰以杂宝，井栏、药臼、槽匮亦以金银为之，编金缕为箕筐，赐钱五百万缗，它物称是。"⑤

　　总之，唐代高层婚姻择偶标准转向进士科，不再像唐初争趋山东大姓的礼法旧门。此种婚姻习俗的变化，乃因为进士科已经成为仕进的唯一正途；还因为唐代政治经济特权完全与现任官职相联系。崇尚进士科的风气即为尚官原则的表现，相比之下，那种标榜血统、"唯衿远叶衣冠"的旧门第观，也就逐渐失去市场。

---

① 《新唐书》卷一六四《卫次公传》。
② 《旧唐书》卷一七八《王徽传》。
③ 裴庭裕：《东观奏记》卷上《唐宣宗联察》，中华书局 1994 年版。
④ 裴庭裕：《东观奏记》卷下《唐宣宗以广德易永福公主下嫁于琮》，中华书局 1994 年版。
⑤ 《资治通鉴》卷二五一，咸通十年正月。

诚如邓之诚先生所谓："唐行科举制度，凡举士铨官，皆重考试。自魏晋以来，造成门阀之九品中正制度，至是始完全废除。且科举盛行，白衣及第，得通婚于世宦，而门第之风亦衰。此实为中古社会上一大变革也。"①

从武则天时代开始，门第观念已在变化之中，安史之乱以后，又加快了变化的步伐。"王质字华卿，太原祁人。五代祖通字仲淹，隋末大儒，号文中子。通生福祚，终上蔡主簿。福祚生勉，登进士第，制策登科，位终宝鼎令。勉生怡，终渝州司户。怡生潜，扬州天长丞。质则潜之第五子。少负志操，以家世官卑，思立名于世，以大其门"。② 可见"大其门，"门户高，必须是高级官吏。王质后来进士及第，历官台省，仕至宣歙观察使，大大超过了父祖辈任职的地方县级。而地方县级则被认为"家世官卑。"又如"出自寒门，旁无势援"③ 的杨收，进士科及第后位致宰相。《北梦琐言》卷一二《杨收不学仙》条："唐相国杨收，江州人，祖为本州都押衙，父直，为兰溪县主簿。生四子，发、嘏、收、严，皆登进士第。收即大拜，发以下皆至丞郎。发以春为义，其房子以柷，以乘为名；嘏以夏为义，其房子以煛为名；收以秋为义，其房子以钜、鏻、鑣、鍳为名；严以冬为义，其房子以注、涉、洞为名。尽有文学，登高第，号曰修竹杨家，与静恭诸杨，比于华盛。"杨收父祖任官不高，子孙登科第后蔚为世家，堪与静恭杨氏并提。静恭杨家系指杨虞卿、杨汝士，两人为同宗兄弟。杨虞卿为牛党著名代表人物。"初，汝士中第，有时名，遂历清贯。其后诸子皆至正卿，郁为昌族，所居静恭里，知温兄弟并列

① 邓之诚：《中华二千年史》，商务印书馆1935年版，第117页。
② 《旧唐书》卷一六三《王质传》。
③ 《旧唐书》卷一七七《杨收传》。

门戟。咸通中，昆仲子孙在朝行方镇者十余人。"① "杨氏自汝士后贵赫为冠族，所居静恭里，兄弟并列门戟。咸通后，在台省方镇率十余人。"② 范阳卢简辞兄弟四人皆登进士第，卢氏两代人仕宦不低，"两世贵盛，六卿方镇相继。"可谓"云抟水击，郁为鼎门。"③

我们还看到，中唐以后史籍上所谓"名家子"，并非仅指旧族子弟，主要指公卿达官子弟。如严绶号称"名家子"，显然是依据父祖官职。《旧唐书·严绶传》说："严绶，蜀人。曾祖方约，利州司功。祖挹之，符离尉。父丹，殿中侍御史。绶大历中登进士第。"德宗贞元年间，杜兼为濠州刺史，因事杖杀两位属官。"僚官韦赏、陆楚皆闻家子，有美誉，论事忤兼，诬劾以罪"。④ 录事参军韦赏，进士擢第；团练判官陆楚，睿宗时宰相陆象先之孙。文宗太和九年（835年），郑注出为凤翔节度使，辟取名家才望之士为幕职，有韦温、钱可复、卢简能、萧杰等。韦温虽出身关中大姓京兆杜氏逍遥公房，但他的父亲，德宗朝翰林学士；叔父韦贯之，宪宗朝宰相。钱可复是礼部侍郎钱徽之子。卢简能，大历十才子卢纶之子，虽然出自范阳卢氏，但这一家主要凭借进士科入仕。萧杰是江南的兰陵萧氏齐梁房，也是穆宗朝宰相萧俛之弟。又，"薛保逊，名家子。恃才与地，凡所评品，士子以之升降，时号为浮薄。"⑤ 据《旧唐书》卷一五三《薛存诚传》，保逊祖存诚，河东人，进士擢第，官至给事中、御史中丞。父廷老，历官翰林学士、给事中。按御史中丞、给事中为正五品上阶。学界一般认为唐代五品官为进入高级官员的行列，可知薛保逊的"名家子"，

① 《旧唐书》卷一七六《杨虞卿传》。
② 《新唐书》卷一七五《杨虞卿传》。
③ 《旧唐书》卷一六三《史臣曰》。
④ 《新唐书》卷一七二《杜兼传》。
⑤ 孙光宪：《北梦琐言》，上海古籍出版社1981年版，第18页。

还是来自父祖官职。武宗朝宰相郑肃之孙郑仁表，咸通九年（868年）进士及第，"自谓门地、人物、文章具美，尝曰：天瑞有五色云，人瑞有郑仁表。"① 按《新唐书·宰相世系表》，郑肃、郑仁表族系未见于荥阳郑氏。可以认为郑仁表引以为傲的门第，系指其祖郑肃的宰相官位。

唐长孺先生说："科举制这样一条道路正体现了门阀制度的崩溃。"② 因为科举制度的产生，反映了士族阶层特权地位的丧失。科举制还促进门第观念变化，起了"尚姓"到"尚官"的作用。尚姓即"尚阀阅，""唯矜远叶衣冠，"此为两晋南北朝士族旧姓的门第观。尚官即"崇重今朝冠冕，""止取今日官爵高下作等级，"此为唐代科举出身的官僚集团的门第标准。唐代中叶以后，进士地位优越，过去士族在经济、政治、文化上的特权和优越地位，逐渐为进士出身者所取代。科举制成为支持隋唐以后官僚政治的一大杠杆，亦是"开启赵宋以降之新局面"的一项主要因素。

附记：这篇文章是我在 1985 年上半年写的硕士论文，现在加以整理，主要参考北京大学吴宗国《唐代科举制度研究》、厦门大学刘海峰等《中国科举史》、傅璇琮《唐代科举与文学》等论著，基本上还是原文框架，只是第三部分有所改动。历代史家均重视唐代的科举制，在唐代科举研究日益深入的今天，此文也许成为陈言?!

2012. 6. 29

---

① 《旧唐书》卷一七六《郑肃传》。
② 唐长孺：《魏晋南北朝隋唐史三论》，武汉大学出版社 1993 年版，第 380 页。

后 记

我于 1954 年 5 月生于安徽芜湖，祖籍山西平定，父母都是华北南下干部。"文革"期间中学毕业后，下乡插队，又进工厂。1977 年恢复高考，进入安徽师范大学历史系读书。当时安徽师范大学中国古代史有一批名师，如苏诚鉴、万绳楠等老师都给我们上过课。1982 年初毕业后，曾在安徽东至县中学短暂任教，旋又考取兰州大学历史文献学专业（研究方向是隋唐史，侧重敦煌文书），师承齐陈骏老师，兼职教师有甘肃省图书馆的周丕显、武汉大学陈国灿等先生。1985 年毕业回皖，先在安徽师范大学高教研究室工作，后调图书馆古籍部，一直在安徽师范大学工作。

今年是"文革"之后首届 1977 级大学生毕业三十周年，古人说，三十年为一世，不由得生出些许感慨。首先，当初负笈兰州，后悔没有追随齐老师，参预研究敦煌学新潮流。其次，本人虽是历史系毕业，但"跳槽"在图书馆也有二十五个年头，结果是中国古代史与图书馆文献学均未学好。我的兰州大学研究生同门李天石教授，自本科起，即以唐代奴婢问题作为主攻方向，二十余年，研精不倦，终于出版学界称道的专著《中国中古良贱身份制度研究》（南京师范大学出版社 2004 年版）。[1] 回顾自己，方向不

---

① 刘进宝：《〈中国中古良贱身份制度研究〉评介》，载《敦煌学术史：事件、人物与著述》，中华书局 2011 年版，第 193 - 206 页。

定，东搔一下，西捅一下，做学问缺乏自己的"老营盘"。著名史学家赵俪生先生说他治学如同西域商人做买卖，到这里停留一阵，再到那里又停留一阵。人家是大师级学者，本人材质鲁钝，盲目效颦，只能是画虎不成反类犬了。

这本小书名"皖江历史与文献丛稿"，皖江地区系指长江流域安徽段两岸地区，包括：芜湖、马鞍山、铜陵、安庆、池州、宣城（除绩溪）和滁州东部等八市。地处长江富庶地区，号称800里皖江，是安徽省工业化、城市化水平最高的地区。也是作者长期生活、工作的地区。宋代大诗人陆游在《入蜀记》中说："自离当涂，风日清美，波平如席。白云青嶂，远相映带。终日如行图画，殊忘道途之劳也。"江山如画，风景极佳；山川秀丽，人杰地灵。全书四篇，采取专题研究方式，内容涉及皖江地区的世家大族，皖江地区的古代经济，皖江重镇——芜湖的地方文献，以及一些年谱、家谱的个案研究，在区域方面侧重皖江东部地区，在时间段方面侧重鸦片战争前（公元1840年）时代。附录一、二所收文章亦有皖江地区有关，所以收了进来，供读者参考。附录三收录了我的硕士论文，以志兰州大学和齐陈骏老师的培养之恩。尽管这些研究成果的水平不很高，但毕竟都是我自己的研究心得，希望能对皖江历史文化的研究加瓦添砖，尽一点绵薄之力。

感谢图书馆界前辈、文献学家刘尚恒先生赐序，感谢南京师范大学社会发展学院博士生导师李天石教授赐序。感谢安徽师范大学学术著作出版基金项目的资助。还要感谢我的爱人曹朗女士的支持。感谢孙新文编辑为本书做了不少具体工作。

书中所收文章，大都发表过，这次也都进行了修改增补，补充了新的材料，吸收了新的成果，这也是师承武汉大学陈国灿老师编订论文集的方法。只是限于水平，谅多舛误，尚希读者多加指教，不胜企感。

张宪华

2012 年 10 月

识于芜湖青弋江畔禹王宫